M000300966

Hablar con Jesús

ORAR CON
EL CURA DE ARS

6ª Edición

José Pedro Manglano Castellary

DESCLÉE DE BROUWER

José Pedro Manglano
e-mail: hablarconjesus@manglano.org
www.manglano.org

© EDITORIAL DESCLÉE DE BROUWER, S.A., 1999
  Henao, 6 - 48009 BILBAO
  www.edesclee.com
  info@edesclee.com

1ª edición: septiembre 1999
2ª edición: noviembre 2001
3ª edición: julio 2003
4ª edición: marzo 2004
5ª edición: octubre 2004
6ª edición: enero 2006

Impreso en España - Printed in Spain
ISBN: 84-330-1516-8
Depósito Legal: BI-3376/05
Impresión: RGM, S.A. - Bilbao

ÍNDICE:

ÍNDICE

EL CURA DE ARS

A Dios sí se le puede conocer. Dios vive. En la vida de muchas personas podemos encontrar la presencia y la acción de Dios.

Es una suerte poder entrar y pasearse por la interioridad de una persona santa, saber cómo vivía, cómo reaccionaba en distintas situaciones, cómo veía las cosas. Y podemos hacerlo con el Cura de Ars, un sencillo sacerdote de un pequeñísimo pueblo que, sin pretenderlo y sin salir de allí en toda su vida, alcanzó una notable fama en toda Francia y, más tarde, en todo el mundo. Ahora es patrono de los sacerdotes de todo el mundo.

* * *

No escribió nada: con dificultad, y con bastantes años, aprende a leer y a escribir. Su cabeza es torpe para los estudios y su memoria es mala; tanto es así que llegan a echarle del seminario por suspender los estudios: consideran que no es capaz de aprender lo mínimo imprescindible para poder ser sacerdote. Sin embargo, al cabo de los años, personas importantes de toda Francia irán a Ars para escuchar su consejo.

Se considera indigno de ser cura del pueblo de Ars, de tener a su cargo las pocas familias que pueblan esa pequeña aldea. Sin embargo, al cabo de los años, el Emperador de Francia le da el prestigioso título de *Caballero de la Legión de Honor*.

A su llegada a Ars, las pocas familias que habitan el pueblo no tienen especial interés por las cosas de Dios ni del Cura: unas pocas ancianas van a Misa el domingo, y nada más. Sin embargo, al cabo de los años, el Cura –que ha acompañado en el momento de la muerte a todos– dice emocionado que el cementerio de Ars es un 'relicario'.

Y toda su fama le vino de su actividad, como suele ocurrir. Lo llamativo es que, en su caso, toda su actividad la ejerció encerrado en una caja de madera de un metro cuadrado de superficie: su confesionario. Él a penas salía de allá dentro –hasta dieciocho horas al día llegaba a estar– pero muchos salían de sus ciudades para ir a confesarse con él. El pueblo tuvo que armarse con fondas y pensiones para albergar a tantos penitentes que, esperando su turno, a veces tenían que pasar en el pueblo hasta seis días.

* * *

Los textos los hemos tomado, por un lado, de las notas que tomó la gente de sus predicaciones, homilías y catequesis; y por otro, de lo que contaron los vecinos del pueblo y muchos de los que fueron a confesarse con él. Al final del libro, indicamos alguna fuente en la que se puede encontrar lo referido en cada punto.

Cada capítulo empieza con algunos datos biográficos que ayudan a contextualizar el contenido de los puntos.

* * *

¿Cómo hacer oración con las palabras y hechos de un santo? Muy sencillo.

Leer, ver cómo es esa alma, ver cómo es la mía en situaciones similares, desear cambiar, decírselo a Dios, hacer propósitos.

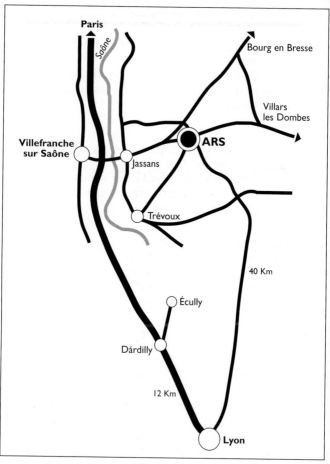

Dárdilly es el pueblo donde nace. En Écully estudia, con el párroco del pueblo; a esa parroquia va como vicario sus dos primeros años de sacerdote. Ars, se encuentra a una veintena de kilómetros al norte.

1
¡Qué suerte vivir con Dios!:
vida cristiana

La revolución francesa surge en 1789. En 1791 entra en vigor la Constitución civil en la comarca de Lyon, pero en 1793 esta ciudad se alza contra la Convención, levantamiento que lleva a las tropas de la República Francesa a asediar la ciudad de Lyon durante dos meses. La represión es terrible, la guillotina funciona sin parar; la sangre corre y llegan a morir alrededor de veinte mil lyoneses. El ejército de la Convención pasa sin cesar por Dardilly, pueblecito a las afueras de Lyon, donde el niño Juan María Vianney vive este clima de terror a sus siete años.

La Convención exige a los sacerdotes que juren la nueva Constitución, separándose de la iglesia Católica. Los sacerdotes que no juraban, eran encarcelados y ejecutados en veinticuatro horas; para evitarlo, se ocultan y esconden; quien delate o descubra a un sacerdote no juramentado recibirá cien libras de recom-

pensa. En la casa de los Vianney se refugian muchos sacerdotes. El cura de Dardilly presta juramento, pero en 1794 la persecución religiosa se endurece y es cerrada la iglesia del pueblo.

Los cristianos viven su fe en la clandestinidad. Juan María hace su primera confesión con uno de los sacerdotes escondidos. Sus padres le envían a Ecully —a seis kilómetros— a prepararse para la primera comunión con unas monjitas que, en secreto, enseñan a los niños. A los trece años recibe la primera comunión con otros catorce niños a escondidas: en la ventana ponen una carreta cargada de heno que les oculta. Les da la comunión el sacerdote Groboz, que va de aldea en aldea, jugándose la vida, impartiendo los sacramentos.

* * *

Con toda esta experiencia, Juan María ve el mundo dividido en dos: el bien y el mal, la fuerza del bien y la fuerza del mal. Ve personas que hacen el bien, y personas que hacen el mal. Las primeras crean y transmiten felicidad, amor, paz... Las segundas, lo contrario.

Tiene la clara visión de que la bondad está en Dios y en quien vive con Dios; su bondad le lleva a desear, para él y para todos, el vivir con Dios; desea que todos acepten que Dios les ama, que todos sean buenos cristianos, que todos cuiden la buena vida del alma.

Vivir con Dios o vivir para el mundo: esa es la elección. Y... ¡qué suerte vivir con Dios!

LO QUE DIJO E HIZO

1.1 "El hombre es terrestre y animal; sólo el Espíritu Santo puede elevar su alma y llevarla hacia lo alto.

¿Por qué los santos estaban tan despegados de la tierra? Porque se dejaban conducir por el Espíritu Santo.

Los que son conducidos por el Espíritu Santo tienen ideas justas. Por eso hay tantos ignorantes que saben más que los sabios. Cuando se es conducido por un Dios de fuerza y de luz, no hay equivocación.

Como las lentes que aumentan los objetos, el Espíritu Santo nos hace ver el bien y el mal en grande. Con el Espíritu Santo todo se ve en grande: se ve la grandeza de las menores acciones hechas por Dios y la grandeza de las menores faltas. Como un relojero con sus lentes distingue los más pequeños engranajes de un reloj, con las luces del Espíritu Santo distinguimos todos los detalles de nuestra pobre vida.

Entonces las más pequeñas imperfecciones se agrandan, y los pecados más leves dan pavor".

2.1 Aconsejaba comenzar todos los días haciendo un sencillo ofrecimiento de todo el día a Dios:

"Hay que actuar por Dios, poner nuestras obras en sus manos. Hay que decir despertándose:

Quiero trabajar por ti, Dios mío ¡Me someteré a todo lo que me envíes! Me ofreceré en sacrificio. Pero Señor, no puedo hacer nada sin ti, ¡ayúdame!

Oh, en el momento de la muerte nos arrepentiremos del tiempo que hemos dado a los placeres, a las conversaciones inútiles, al reposo, en vez de haberlo empleado a la mortificación, al rezo, a las buenas obras, a pensar en la miseria, a llorar los propios pecados ¡Entonces veremos que no hemos hecho nada por el cielo! Hijos míos, ¡qué triste sería llegar a esa situación!".

3.1 "Los que tienen el Espíritu Santo no pueden sentirse complacidos con ellos mismos, porque conocen su pobre miseria. Los orgullosos son los que no tienen Espíritu Santo.

Las gentes mundanas no tienen al Espíritu Santo; o, si lo tienen, no es más que de paso: Él no se detiene en ellos. El ruido del mundo le hace marcharse".

4.1 Para llevar una buena vida cristiana, nunca es tarde: sea cual sea nuestro pasado, nuestra edad, nuestros defectos...:

"Los santos, no todos han empezado bien, pero todos han sabido terminar bien. Si hemos empezado mal, procuremos terminar bien e iremos al cielo junto con ellos".

5.1 "La gente dice que es demasiado difícil alcanzar la salvación. No hay, sin embargo, nada más fácil: observar los mandamientos de Dios y de la Iglesia, y evitar los siete pecados capitales; es decir, hacer el bien y evitar el mal; ¡no hay más que eso!".

6.1 "Los buenos cristianos que trabajan en salvar su alma están siempre felices y contentos; gozan por adelantado de la felicidad del cielo; serán felices toda la eternidad. Mientras que los malos cristianos que se condenan siempre se quejan, murmuran, están tristes... y lo estarán toda la eternidad.

Un buen cristiano, un avaro del cielo, hace poco caso de los bienes de la tierra; sólo piensa en embellecer su alma, en obtener lo que debe contentarle siempre, lo que debe durar siempre.

Ved a los reyes, los emperadores, los grandes de la tierra: son muy ricos; ¿están contentos? Si aman al Buen Dios, sí; si no, no están contentos. Me parece que no hay nada que dé tanta pena como los ricos cuando no aman al Buen Dios.

Puedes ir de mundo en mundo, de reino en reino, de riqueza en riqueza, de placer en placer; pero no encontrarás tu felicidad. La tierra entera no puede contentar a un alma inmortal, como una pizca de harina en la boca no puede saciar a un hambriento".

7.1 "El ojo del mundano no ve más lejos que la vida. El ojo del cristiano ve hasta el fondo de la eternidad.

Para el hombre que se deja conducir por el Espíritu Santo parece que no hay mundo; para el mundo, parece que no hay Dios.

Los que se dejan conducir por el Espíritu Santo sienten toda clase de felicidad dentro de ellos mismos; mientras que los malos cristianos ruedan sobre espinas y piedras.

Un alma que tiene al Espíritu Santo no se aburre nunca de la presencia de Dios: pues de su corazón sale una transpiración de amor".

8.1 "El corazón se dilata, se baña en amor divino. El pez no se queja nunca de tener mucha agua: el buen cristiano no se queja nunca por estar mucho tiempo con Dios. Hay quienes encuentran la religión aburrida, es porque no tienen al Espíritu Santo".

9.1 "Si preguntáramos a los condenados: *¿Por qué estáis en el infierno?*, responderían: *Por haber resistido al Espíritu Santo.*

Si dijéramos a los santos: *¿Por qué estáis en el cielo?*, responderían: *Por haber escuchado al Espíritu Santo"*.

10.1 "El Buen Dios, enviándonos el Espíritu Santo, ha hecho como un gran rey que encarga a su ministro que vaya con uno de sus súbditos, diciéndole:

—*Acompaña a este hombre a todas partes, y me lo traes sano y salvo.*

¡Qué bello es ser acompañado por el Espíritu Santo! Es un buen guía. ¡Y... que haya quienes no quieren seguirle!".

11.1 Estaba profundamente convencido de que una persona es feliz cuando vive con Dios; y que es infeliz sólo cuando esa persona libremente se ha separado de Dios: porque no conoce lo que Dios dice, porque ha dejado de escucharle y hacerle caso.

"Hijos míos; ¿por qué somos tan ciegos y tan ignorantes? ¡Porque no hacemos caso de la palabra de Dios!".

Pero lo primero para poder hacer caso a Dios es saber qué dice, estar formado:

"Con una persona formada hay siempre recursos. Una persona que no está formada en su religión es como un enfermo agónico; no conoce ni la grandeza del pecado, ni la belleza de su alma, ni el precio de la virtud; se arrastra de pecado en pecado".

12.1 "Hay muchos cristianos que no saben por qué están en el mundo.

– ¿Por qué, Dios mío, me has puesto en el mundo?
– Para salvarte.
– Y ¿por qué quieres salvarme?
– Porque te amo.

¡Que bello y grande es conocer, amar y servir a Dios! Es lo único que tenemos que hacer en el mundo. Todo lo demás es tiempo perdido".

13.1 "Muchos cristianos no trabajan más que para satisfacer este cadáver (al cuerpo siempre le llamaba 'cadáver') que pronto se pudrirá en la tierra; y, sin embargo, no piensan en su pobre alma, que debe ser eternamente feliz o infeliz. Carecen de espíritu y de buen sentido: ¡esto hace temblar!

Veis, hijos, hay que pensar que tenemos un alma que salvar y una eternidad que nos espera. El mundo, las riquezas, los placeres, los honores pasarán; el cielo y el infierno no pasarán nunca. ¡Tengamos cuidado!".

14.1 "Quienes no tienen fe, tienen el alma más ciega que los que no tienen ojos.

Estamos en este mundo como entre niebla; pero la fe es el viento que disipa esa niebla y que hace brillar en nuestra alma un bello sol... Entre nosotros, todo es alegría, felicidad y consuelo.

Preguntemos a la gente del mundo. ¿Cómo podrían ver ellos si son ciegos? Son ciegos. Nuestro Señor Jesucristo haría hoy todos los milagros que hizo en Judea y no le creerían. Cuando decimos: *Dios mío, yo creo; creo firmemente, es decir, sin la menor duda. (¡Oh! ¡si nos convenciéramos de estas palabras!). Creo firmemente que estás presente en todas partes, que me ves, que estoy bajo tus ojos, que un día te veré claramente yo mismo, que gozaré de todos los bienes que me has prometido. ¡Dios mío, espero que me recompensarás de todo lo que he hecho para agradarte! Dios mío, te amo ¡tengo un corazón para amarte!*

Con este acto de fe, que es también un acto de amor, ¡bastaría para todo!".

15.1 Cuando citaba las palabras del evangelio: *Dios dirá a los condenados: '¡Venga, malditos!...'*, se conmovía y explicaba:

"Malditos de Dios... ¡qué horrible desgracia!

¿Entendéis, hijos míos? ¡Malditos de Dios! ¡De Dios... que no sabe más que bendecir! ¡Malditos de Dios, que es todo amor! Malditos de Dios, que es la bondad personificada ¡malditos sin remisión! Malditos para siempre ¡malditos de Dios!

Si un condenado pudiera decir una sola vez ¡*Dios mío, te amo!*, no habría más infierno para él. Pero, esta pobre alma ¡ha perdido el poder de amar que ella había recibido y del que no ha sabido servirse! Su corazón está seco como el del racimo cuando ha pasado por la prensa. ¡No habrá más felicidad en esta alma, ni más paz, porque no hay más amor!

Hay quienes pierden la fe y no ven el infierno más que entrando a él. Creemos que hay un infierno, pero vivimos como si no lo hubiera; vendemos el alma por unas monedas.

No es Dios quien nos condena, somos nosotros, por nuestros pecados. Los condenados no acusan a Dios; se acusan ellos mismos; dicen: *He perdido a Dios, mi alma y el cielo por mi culpa*".

16.1 "Fuera del Buen Dios, nada es sólido, ¡nada! ¡nada! La vida, pasa; la fortuna, se viene abajo; la salud, se destruye; la reputación, es atacada. Vamos como el viento. Todo va rápido, todo se precipita. ¡Ah, Dios mío! Hay que compadecerse de los que ponen su afecto en todas las cosas. Lo ponen porque se aman demasiado; pero no se aman con un amor razonable; se aman con amor de ellos mismos y del mundo;

buscándose, buscando las criaturas más que a Dios. Por eso nunca están contentos, nunca están tranquilos; siempre están inquietos, siempre atormentados, siempre nerviosos.

Ved, hijos míos, el buen cristiano recorre el camino de este mundo subido en una bonita carroza de triunfo; esta carroza es arrastrada por ángeles y es Nuestro Señor quien la conduce. Mientras que el pobre pecador está enganchado al carro de la vida, y el demonio está en el asiento y le hace avanzar a golpes de látigo".

17.1 "Un cristiano conducido por el Espíritu Santo no siente pena en dejar los bienes de este mundo para correr tras los bienes del cielo. Él sabe ver la diferencia.

Los que se dejan conducir por el Espíritu Santo sienten toda clase de felicidad dentro de ellos mismos; mientras que los malos cristianos se enredan con las espinas y los guijarros.

Sin el Espíritu Santo, somos como una piedra de las que ves en el camino. Coge en una mano una esponja empapada de agua y en la otra una piedra; apriétalas igualmente. No saldrá nada de la piedra, y de la esponja verás salir el agua en abundancia. La esponja es el alma llena del Espíritu Santo; y la piedra es el corazón frío y duro donde el Espíritu Santo no vive".

18.1 Como se dirigía en sus predicaciones a gente sencilla, analfabeta, buscaba imágenes simples y expresivas como ésta, con la que animaba a hacer las cosas con intención recta, por amor:

"Tenemos siempre dos secretarios, el demonio que inscribe nuestras malas acciones para acusarnos, y nuestro buen ángel que escribe las buenas para justificarnos en el día del juicio.

Cuando las buenas nos sean presentadas, qué pocas serán agradables a Dios. Incluso entre las mejores, encontraremos ¡tantas imperfecciones, tantos pensamientos de amor propio, de satisfacciones humanas, de placeres sensuales, de egoísmos que se encuentran mezclados! Tienen buena apariencia: como esas frutas que parecen más amarillas y más maduras porque un gusano las ha picado.

Habrá pocas buenas obras recompensadas porque en vez de hacerlas por amor a Dios, las hacemos por hábito, por rutina, por amor de nosotros mismos. ¡Qué lástima!".

19.1 "La gracia de Dios nos ayuda a andar y nos sostiene. Nos es tan necesaria como las muletas a un cojo".

20.1 Como para llevar una vida cristiana es imprescindible asistir a la Eucaristía los domingos, éste fue un tema insistente en su predicación. Argumenta de una manera sencilla: "El domingo pertenece al Buen Dios; es su día, el día del Señor. Él ha hecho todos los días de la semana; podía guardarlos todos para Él, pero no: nos ha dado seis; sólo se ha reservado el séptimo. ¿Con qué derecho tú tocas lo que no te pertenece? Sabes que el bien robado no se aprovecha jamás. El día que se roba al Señor no se aprovechará tampoco".

Y concluía de forma persuasiva y clara:

"Conozco dos medios para ser pobre: trabajar el domingo y tomar los bienes del prójimo".

21.1 El Cura de Ars fue un excelente conocedor del alma humana, pues entró en tantísimas intimidades, escuchó tantos desahogos. Y afirmaba rotundamente que la alegría que muestran los 'mundanos' es falsa:

"No he encontrado nadie que se queje tanto como esas pobres gentes mundanas. Tienen sobre las espaldas un abrigo cubierto de espinas: no pueden hacer un movimiento sin pincharse; mientras que los buenos cristianos tienen un abrigo forrado de piel".

22.1 "¿No es una verdadera locura poder gustar las alegrías del cielo, uniéndose a Dios por amor, y preferir el infierno? ¡No se puede entender esta locura, no se puede llorarla bastante!".

Y repetía con palabras parecidas esta idea para gravarla en aquellas almas:

"Hay que compadecerse de estas pobres gentes del mundo. Tienen sobre sus espaldas un abrigo forrado de espinas: no pueden hacer un movimiento sin pincharse; mientras que los buenos cristianos tienen un abrigo forrado de piel de conejo".

23.1 Le gustaba buscar parábolas o comparaciones cercanas a la vida de los que le escuchaban; por ejemplo, éstas:

"Dios actúa en nuestras almas según el grado de nuestros deseos. Un vaso recibe agua de una fuente según su capacidad".

24.1 "Los santos son como multitud de pequeños espejos en los que Jesucristo se contempla".

25.1 Quería que quienes le escuchaban se decidiesen a ser santos. Continuamente les animaba y les orientaba con imágenes sencillas:

"Los santos tenían un buen corazón, un corazón líquido",

en el sentido de que no eran duros, de piedra, insensibles; sino que, por el contrario, los santos se adaptan como el líquido a cada persona con la que están.

26.1 "Para ser santo hay que estar loco, haber perdido la cabeza.

Por allí por donde pasan los santos, Dios pasa con ellos.

A los amigos del Buen Dios se les conoce a la legua".

27.1 El Cura de Ars sabía que la grandeza del cristiano está en la felicidad íntima del alma que elige el bien y trata con el Buen Dios. Sin embargo, muchos buscaban lo espectacular del milagro para creer. En septiembre de 1843, Margarita Humbert, prima del Cura, le hizo una visita. En la conversación que mantuvieron, ella se quejaba de la falta de milagros. El Cura le respondió:

"¡Dios es siempre todopoderoso; siempre puede hacer milagros; y los haría como en los antiguos tiempos, pero falta la fe!".

28.1 El Cura de Ars hizo algunos milagros bastante evidentes en vida. La fama se corrió por aquellos pueblos. Cuando algunos venían de otros lugares y le pedían hiciese un milagro, lo único que pedía era fe, como lo hizo Jesucristo en sus tres años de vida pública; pero la pedía con exigencia. Un día, una mujer de Montfreur fue a Ars a pedirle que hiciese un milagro, pues un pariente suyo había caído enfermo; el cura de Ars le dijo:

"Bien. Haga usted una novena de oraciones, pero no sé si Dios la escuchará, pues en esa casa hay tanta fe como en un establo de caballos".

Por desgracia, el Cura de Ars estaba en lo cierto. Cuando la mujer acabó la novena de oraciones por su pariente, éste murió.

2
El Buen Dios:
amor a Dios

Juan María Vianney nace el 8 de mayo de 1786 en Dardilly, diez kilómetros al norte de Lyon. Es el cuarto de siete hermanos. Su padre, Mateo, es agricultor, propietario de las doce hectáreas que trabaja. Su madre, María, creó un hogar cristiano. Cada noche se acerca a la cama de sus hijos y reza con ellos.

Juan María era un niño normal: ojos azules, moreno y delgado; sensible, alegre, nervioso, impulsivo, bueno. Un niño normal.

Solemos decir que todos los niños son buenos, y así es. Pero junto la atracción del bien, va despertándose la atracción del mal. En este aspecto empieza a distinguirse el pequeño Juan María: procura elegir siempre el bien, con lo que cada vez le atrae más lo bueno, y cada vez más le repele lo malo. Así se entiende que años más tarde comentase, con toda sencillez: 'el pecado lo descubrí en el confesionario'.

* * *

Quizá ahí, en su bondad natural defendida y desarrollada en las primeras elecciones, se encuentre una de las claves de su vida. Tuvo, por eso, una sintonía grande con la bondad de Dios, la bondad de las personas, la bondad del mundo. Se entiende que nunca hablase de Dios a secas; siempre hablaba del 'Buen Dios'.

Su predicación tiene ese centro: el Buen Dios me ama, ama a cada hombre, ama a todos los hombres. Esta es la verdad más radical del mundo y de cada persona; y, por supuesto, de la suya.

LO QUE DIJO E HIZO

1.2 Decir siempre de Dios *'el Buen Dios'* no es una costumbre caprichosa o de estilo: está yendo a lo esencial, a lo más importante de Dios, al primer rasgo de Dios que tiene que descubrir el hombre para encontrarle.

"El Buen Dios nos ha creado y nos ha puesto en el mundo porque nos ama; quiere salvarnos porque nos ama. El Buen Dios quiere nuestra felicidad. ¡Qué bueno es Dios, hijos míos! ¡Cuánto amor nos ha mostrado y nos muestra aún! Nosotros no lo comprenderemos plenamente más que cierto día, en el paraíso".

2.2 "El hombre creado por amor no puede vivir sin amor: o ama a Dios, o ama al mundo.

Quien no ama a Dios ata su corazón a cosas que pasan como el humo.

Cuanto más se conoce a los hombres, menos se les ama. Con Dios ocurre lo contrario: cuanto más se le conoce, más se le ama. Este conocimiento abrasa al alma con tal amor, que quien le conoce sólo ama y desea a Dios.

El amor de Dios es un sabor anticipado del cielo: si supiéramos probarlo, qué felices seríamos. ¡Lo que hace desgraciado es no amar a Dios!".

3.2 "Había aquí, en la parroquia –contaba muchas veces el Cura– un hombre que murió hace algunos años. Habiendo entrado por la mañana en la iglesia para rezar sus oraciones, antes de irse al campo, dejó sus alforjas en la puerta y se olvidó de sí delante de Dios. Un vecino que trabajaba en el mismo paraje y que solía verle, se extrañó de su ausencia. Se volvió y se le ocurrió entrar en la iglesia, pensando que quizá estaría allí. Le encontró allí, en efecto, y le dijo:

–¿Qué haces aquí tanto tiempo?

El otro le respondió:

–Yo miro a Dios y Dios me mira a mí.

Repetía este hecho con frecuencia, a veces visiblemente emocionado, mientras añadía: Él miraba a Dios y Dios le miraba a él. ¡En eso consiste todo, hijos míos!".

4.2 "Cuando amamos a alguno, ¿acaso tenemos necesidad de verle para pensar en él? Sin duda, que no. Así pues, si amamos a Dios, la oración nos será tan familiar como la respiración. ¡Oh! Cuánto me gustan estas palabras dichas desde la mañana:

– *Hoy quiero hacerlo todo y sufrirlo todo por Dios. Nada por el mundo o por interés; todo para agradar a mi Salvador.*

De esta manera el alma se une con Dios, no ve sino a él, no obra sino por él... Decimos con frecuencia –*¡Dios mío, ten piedad de mí!*, como un niño dice a su madre: *Dame la mano, dame pan...* Si nos sentimos cargados de algún peso, pensemos en seguida que vamos en pos de Jesucristo que lleva su cruz; unamos nuestras penas a las del divino Salvador".

5.2 "Si no amamos el corazón de Jesús, ¿qué amaremos, pues? ¡No hay más que amor en este corazón! ¿Cómo no amar lo que es tan amable?".

6.2 "Hay que hacer como los pastores en invierno: encienden fuego; de vez en cuando corren a recoger madera de todos sitios para mantenerlo. Si supiéramos, como los pastores, mantener siempre el fuego del amor de Dios en nuestro corazón con rezos y buenas obras, no se apagaría".

Y aconsejaba rezar durante todo el día: por los caminos, mientras se trasladaban a su trabajo; cuando cultivaban el campo, sugería rezar un avemaría cada vuelta; el ángelus, en tres momentos del día; etc: ¡mantener el fuego del amor de Dios durante todo el día!

7.2 Enseña siempre un criterio de conducta muy sencillo:

"He aquí una regla de conducta: no hacer más que lo que se puede ofrecer al Buen Dios. Ahora bien, no se le pueden ofrecer calumnias, injusticias, enfados o ataques de cólera, blasfemias, malos espectáculos".

Y añadía con pena:

"¡Desgraciadamente es lo que se hace en el mundo!".

8.2 "Solemos dar nuestros años de juventud al demonio y el resto a Dios, el cual es tan bueno que con eso se contenta. Menos mal que no todos hacen de esa manera. (...) Afortunadas las almas que pueden decir al Buen Dios: *Señor, siempre os he pertenecido.* ¡Ah! ¡Qué bello es! ¡Qué hermoso y qué grande es darle a Dios la juventud! ¡Es una gran fuente de alegría y de felicidad!".

9.2 Que Dios es su Padre, no es una verdad simplemente aprendida de memoria, sino una verdad vivida, experimentada, que le lleva a exclamar con facilidad y con gozo:

"¡Qué hermoso es tener un Padre en el cielo!".

10.2 Dice san Juan, refiriéndose a Dios, que 'Él nos amó primero'; esto es, amar a Dios es una respuesta, es lo segundo; amar a Dios viene después de ser amado por Dios, después de darse cuenta de lo que Dios me ha amado, de lo que ha hecho por mí. El Cura de Ars lo decía así:

"¡Oh, buen Jesús, conoceros es amaros!... Si supiéramos cuánto nos quiere nuestro Señor, moriríamos de placer. No creo que existan corazones tan duros que no sean capaces de amar al verse tan amados...".

11.2 Para darnos cuenta de que realmente nos ama, le gustaba facilitar imágenes en las que se ve lo que ha hecho Jesús por nosotros. Ya siendo Cura de Ars, mandó construir una capilla aneja a la iglesia donde colocar un 'Ecce homo', esto es, una imagen de Jesús recién azotado y vestido con una túnica roja, tal y como Pilato lo hizo mostrar al pueblo, mientras decía 'He aquí al hombre' (en latín 'ecce homo'):

"A veces no hace falta más que la visión de una imagen para conmovernos y para convertirnos. Las imágenes nos impresionan, a menudo casi tan fuertemente como las mismas cosas que representan".

12.2 "El medio más sencillo de encender esta llama –el amor de nuestro Señor– en el corazón de los fieles es explicarles el evangelio".

13.2 "¡Oh, hijos míos!, ¿qué hace nuestro Señor en el sacramento de su amor? Se ha tomado a pecho el amarnos. Su corazón rezuma ternura y misericordia capaz de limpiar los pecados del mundo".

14.2 El evangelio, los crucifijos, la eucaristía... eran para él como gritos de Dios a cada hombre que dice que no sabe que más hacer por entregarse para conseguir que le amemos. Y exclamaba:

"¡Dios mío! ¿Qué podemos amar si no amamos el amor?".

15.2 Un día de 1852 –tenía entonces 66 años–, al terminar la clase de catecismo para los jóvenes del pueblo, una niñita se acercó al Cura y, poniéndose de puntillas, le arrancó un pelo como reliquia, pues la gente del pueblo lo tenía ya por santo. En cuanto se dio cuenta de la idea peregrina de la niña, dándose la vuelta, se limitó a decirle sonriendo:

"Niña, ama mucho a Dios".

Ese era su resumen; lo demás son tonterías.

16.2 Cuenta el conde des Garets: 'Su corazón estaba tan lleno de amor de Dios que hablaba de él en todas sus conversaciones, las cuales solía interrumpir con frecuencia con frases como ésta, que pronunciaba juntando las manos y levantando los ojos al cielo:

"¡Dios mío, qué bueno sois!".

17.2 Vivía muy unido a Dios durante todo el día, haciendo las cosas normales. El testimonio del canónigo Gardette, capellán del Carmelo de Chalon-sur-Saone, dice así: 'El párroco Vianney se expresaba de esta manera delante de mí:

"¡Oh, cuánto quisiera perderme en Dios y jamás hallarme sino en él!"

Pues bien, al verle actuar, se veía realizado su deseo. Sabía, en efecto, entregarse de tal manera a Dios, que en sus múltiples y trabajosos ministerios, se mostraba tan recogido como en los ejercicios de piedad: hubiérase dicho que no tenía que hacer sino una cosa: la del momento presente. Siempre el ardor del celo, pero nunca la actividad de la naturaleza. Por la mañana, al mediodía y a la noche, se echaba de ver en su persona la misma libertad de espíritu, la misma dulzura de carácter, el mismo reflejo de la paz interior. Aquello era, a mi parecer, la práctica ideal de la unión con Dios, la manifestación más completa posible del amor perfecto'.

18.2 En sus últimos años, el exceso de trabajo y la falta de horas de sueño, le tenían muy débil; a veces se tambaleaba, inclinándose a derecha e izquierda; entonces algunos temían que se cayese. Sus parroquianos no se preocupaban, pues estaban acostumbrados a contemplarle siempre firme aun en medio de los trabajos más aplastantes. Él mismo, como tenía el corazón donde lo tenía, no sentía ninguna inquietud.

'Un día del Corpus, cuenta el Hermano Atanasio, le preguntamos al verle llegar empapado en sudor:

—¿Se habrá cansado mucho, señor Cura?

—¡Oh, cómo queréis que esté cansado si Aquel a quien yo llevaba me llevaba también a mí!'.

19.2 "Hay personas que no aman al Buen Dios, que no le rezan y que prosperan; es mal signo ¡Han hecho un poco de bien a través de mucho mal! El Buen Dios les da su recompensa en esta vida".

20.2 "Cuando no tenéis el amor de Dios en vosotros, sois muy pobres. Sois como un árbol sin flores y sin frutos".

21.2 "¿Acaso el pez busca los árboles y los campos? No, se tira al agua. ¿Y el pájaro permanece quieto sobre la tierra? No, vuela en el aire. Y el hombre, que ha sido creado para amar a Dios, para poseer a Dios, no le ama y pone su corazón, sus afectos, en otras cosas...".

3
El Pecado es el verdugo

A sus trece años, no sabía leer ni escribir. Sabía coger bien la azada, pues trabajaba ayudando a su padre en los trabajos del campo, pero no sabía coger una pluma. El francés lo mal-hablaba, pues en la granja usaban el dialecto de la zona. Sus padres le enviaron a las escuela sólo dos años, cuatro meses cada año.

Cuando decide hacerse sacerdote, tras alguna resistencia de su padre —necesita que le ayude en el campo—, como no tienen dinero, le envían a casa de unos tíos suyos a Ecully, a seis kilómetros, donde el cura del pueblo —el Reverendo Balley— le preparará en sus estudios para el seminario. Se une, así, a un grupo de chavales que siguen el mismo plan. Tiene alrededor de veinte años; es el mayor del grupo.

'No podía depositar nada en mi torpe cabeza', recuerda años más tarde. El latín no le entra, pues tampoco sabe gramática francesa. Sin memoria, todo se le olvida. Se queda noches estudiando, pero no avanza.

Llega a desesperarse, y un día comunica al reverendo Balley: 'quiero volver a mi casa'. Le hace cambiar de opinión cuando le dice que 'entonces ¡adiós a tus planes! ¡adiós al sacerdocio! ¡adiós a las almas!'. Continúa, pero decide hacer una peregrinación a pié hasta el santuario de Louvesc, donde se halla el sepulcro de San Francisco de Regis, a más de cien kilómetros, pidiendo 'la gracia de saber el latín necesario para cursar la teología'.

* * *

A pesar de su 'torpeza' para los estudios, Juan María tiene una sabiduría especial: su sintonía con el bien y con el Buen Dios, su entendimiento de lo bueno que es el bien y lo malo que es el mal, le lleva a saber con claridad que cada hombre en su interior decide su vida.

Sabe lo fundamental: que el verdadero bien es el Buen Dios, y el verdadero mal es rechazarle, esto es, el pecado. El gran error es revelarse contra Dios, echarle del alma, decidir contra él en la conciencia. Es más importante el bien del alma que el del cuerpo. Pero al cuerpo no le llama cuerpo; esta sabiduría especial le lleva a llamarle, con sentido del humor, el 'cadáver': el cuerpo acaba siendo polvo, tierra; y sin embargo, el hombre está creado para la eternidad. El verdadero mal es el pecado. El pecado es el verdugo de esa eternidad con Dios.

LO QUE DIJO E HIZO

1.3 "Cuando nos abandonamos a nuestras pasiones, entrelazamos espinas alrededor de nuestro corazón.

El que vive en el pecado toma las costumbres y formas de las bestias. La bestia, que no tiene capacidad de razonar, sólo conoce sus apetitos; del mismo modo, el hombre que se vuelve semejante a las bestias pierde la razón y se deja conducir por los movimientos de su 'cadáver' (su cuerpo).

Un cristiano, creado a la imagen de Dios, redimido por la sangre de un Dios. ¡Un cristiano... hijo de Dios, hermano de Dios, heredero de Dios! ¡Un cristiano, objeto de las complacencias de tres Personas divinas! Un cristiano cuyo cuerpo es el templo del Espíritu Santo: ¡he aquí lo que el pecado deshonra!

El pecado es el verdugo del Buen Dios y el asesino del alma...

¡Ofender al Buen Dios, que sólo nos ha hecho bien! ¡Contentar al demonio que tan sólo nos hace mal! ¡Qué locura!".

2.3 Sentía verdadera tristeza por cada pecador, pues sabía que no puede ser feliz una persona sin Dios.

"¡Pobres pecadores! Cuando pienso que hay quienes mueren sin haber disfrutado ni una sola hora la dicha de amar a Dios...".

3.3 "El Buen Dios quiere volvernos felices, y nosotros no queremos. Nos desviamos de él y nos ofrecemos al demonio. ¡Huimos de nuestro Amigo y buscamos a nuestro verdugo! Perdemos un tiempo que nos ha dado para salvarnos ¡Le hacemos la guerra con los medios que nos ha dado para servirle!

Comprender que somos obra de un Dios, es fácil; pero que la crucifixión de un Dios sea nuestra obra... ¡¡¡es incomprensible!!!".

4.3 Cuando sabía de alguna persona que se empeñaba en vivir sin Dios, no quería pedirle perdón y volver a él, el buen Cura redoblaba sus oraciones y penitencias.

"No me hallo bien, decía con humor, sino cuando ruego por los pecadores".

Cuando se acercaba alguna fiesta grande, y sobre todo durante el tiempo pascual, se imponía penitencias extraordinarias para ayudar a más pecadores a volver al Buen Dios: ése era su regalo.

5.3 "Nuestro Señor es como una madre que lleva a su hijo en brazos. Este niño es malo; da patadas a su madre, la muerde, la araña; pero ella no hace caso; sabe que si ella le suelta caerá, y no podrá caminar solo. Así es Nuestro Señor: pese a todo, acepta nuestros malos tratos; soporta todas nuestras arrogancias; perdona todas las faltas; tiene piedad de nosotros. El Buen Dios tardará menos tiempo en perdonar a un pecador que se arrepiente, que una madre en retirar a su hijo del fuego".

6.3 "Figúrate una pobre madre obligada a soltar el cuchillo de la guillotina sobre la cabeza de su hijo: ¡he aquí al Buen Dios cuando condena a un pecador!

Nuestras faltas son un grano de arena al lado de la gran montaña de las misericordias de Dios.

La misericordia de Dios es como un torrente desbordado: lleva los corazones a su paso".

7.3 "El corazón de los malvados es como todo un listado de pecados. Se parece a un trozo de comida podrida por el que luchan los gusanos".

8.3 "Por una blasfemia, por un mal pensamiento, por una botella de vino, por dos minutos de placer ¡Por dos minutos de placer perder a Dios, tu alma, el cielo... para siempre!

Hijos míos, si veis a un hombre levantar una gran hoguera, apilar la leña, y le preguntáis qué es lo que hace, os responderá: *Preparo el fuego que debe quemarme.* ¿Qué pensaríais si vierais a este mismo hombre aproximarse a la llama de la hoguera y, cuando está encendida, echarse dentro? ¿qué diríais?

Al pecar, eso es lo que nosotros hacemos. No es Dios quien nos echa al infierno, somos nosotros por nuestros pecados. El condenado dirá: *He perdido a Dios, mi alma y el cielo: ¡es por mi culpa, por mi culpa, por mi grandísima culpa!* Se levantará para volver a caer.

No, ciertamente, si los pecadores pensasen en la eternidad, en este terrible ¡SIEMPRE!, se convertirían inmediatamente... Hace casi seis mil años que Caín está en el infierno, y no ha hecho más que entrar".

9.3 'El Cura de Ars —ha dicho el Rdo. Toccanier, sacerdote que le ayudó durante unos años en la parroquia— tenía un atractivo particular para convertir a los pecadores'. Podría decirse que les amaba con todo el odio que sentía por el pecado. Lo detestaba y «hablaba de él con horror e indignación»; pero tenía para con los culpables una compasión inmensa, y sus gemidos por la pérdida de las almas partían el corazón:

"*Dios mío* —exclamaba en su habitación un día de Cuaresma de 1841—, *Dios mío, ¡que Tú hayas sufrido tantos tormentos para salvarlos... y que ellos se hayan condenado!".*

Y en los catecismos decía:

"¡Qué dolor más amargo al pensar que hay hombres que mueren sin amar a Dios!".

Cada noche, durante la oración, apenas podía rezar, tal era su llanto, y repetía insistentemente la petición:

"Dios mío, no permitas que el pecador perezca». «¡Ah, los pobres pecadores! —y había que oír con qué tono pronunciaba estas palabras—*¡si yo pudiese confesarme por ellos!"".*

10.3 "El pecado es el verdugo del Buen Dios y el asesino del alma. Es quien nos arranca del cielo, para precipitarnos en el infierno. ¡Y le amamos!

¡Qué locura! Si pensáramos en ello bien, tendríamos un tan vivo horror del pecado que no podríamos cometerlo".

11.3 "¡Qué ingratos somos, hijos! El Buen Dios quiere hacernos felices, y nosotros no lo queremos. ¡Nos desviamos de él y nos damos al demonio! ¡Huimos de nuestro Amigo y buscamos al verdugo! Cometemos el pecado; nos metemos en el barro. Una vez en este cenagal, no sabemos salir. Si allí quedaran encerradas nuestras riquezas, bien que nos esforzaríamos para sacarlas y no perderlas; pero como sólo se trata de nuestra alma... ahí permanecemos.

¿Qué nos ha hecho el Buen Dios para afligirle así, e incluso en un sentido, para hacerle morir de nuevo, a él, que nos ha rescatado del infierno? Sería preciso que todos los pecadores, cuando van a sus placeres culpables, encontrasen en el camino, como san Pedro, a Nuestro Señor que le dijo: *"Voy a este lugar donde vas tú mismo, para ser crucificado de nuevo"*. Probablemente esto les haría reflexionar.

¡Qué insensatos somos! Perdemos un tiempo que Dios nos ha dado para salvarnos. ¡Le hacemos la guerra con los medios que nos ha dado para servirle!".

12.3 "El cielo, el infierno, el purgatorio tienen una especie de gusto anticipado en esta vida. El purgatorio está en las almas que no están muertas a ellas mismas; el infierno está en el corazón de los impíos; el paraíso en el de los perfectos que están muy unidos a Nuestro Señor.

Si un condenado pudiera decir una sola vez: *¡Dios mío, os amo!*, no habría más infierno para él. Pero esta pobre alma ha perdido el poder de amar que había recibido, poder del que no ha sabido servirse. Su corazón está seco, como el racimo cuando se pisa".

13.3 "Si los pobres condenados tuviesen el tiempo que nosotros perdemos, ¡qué buen uso harían de él! Si tuviesen sólo media hora, esta media hora despoblaría el infierno.

Si dijéramos a los condenados que están en el infierno desde hace tiempo: *Vamos a poner a un sacerdote a la puerta del infierno. Los que se quieran confesar, sólo tienen que salir*; ¿quedaría alguien? Quedaría desierto, y el cielo se llenaría. ¡Tenemos el tiempo y los medios que ellos no tienen!".

Y como quería meter en aquellas cabezas esta idea fundamental, no le importaba repetir las mismas ideas con palabras parecidas: "¿Por qué los hombres se exponen a ser malditos de Dios? Por una blasfemia, un mal pensamiento, dos minutos de placer. ¡Por dos minutos de placer perder a Dios, el alma, el cielo, para siempre!".

14.3 Le gustaba emplear esta parábola del grano de mostaza:

"¿Qué son nuestros pecados comparados con la misericordia de Dios? Son como un grano de mostaza al lado de una montaña".

15.3 Cuenta el reverendo Toccanier: 'Un día le dije al cruzarme con él: Hace muy mal tiempo hoy, señor Cura. A lo que él me contestó:

"El mal tiempo es para los pobres pecadores".

Era una forma gráfica de decir que para quien se sabe hijo de Dios, nada es verdaderamente malo; sin embargo, para los que no viven con Dios...

16.3 "¿Por qué no somos capaces de beneficiarnos más del sacramento de la penitencia? Porque no buscamos todos los secretos de la misericordia del Buen Dios, que no tiene límites en este sacramento.

Cuando vamos a confesarnos, debemos entender lo que estamos haciendo. Se podría decir que desclavamos a Nuestro Señor de la cruz.

Algunos se suenan las narices mientras el sacerdote les da la absolución, otros repasan a ver si se han olvidado de decir algún pecado...

Cuando el sacerdote da la absolución, no hay que pensar más que en una cosa: que la sangre del Buen Dios corre por nuestra alma lavándola y volviéndola bella como era después del bautismo".

4
Tras Dios el sacerdote
lo es todo:
sacerdocio y conquista

*D*espués de superar todas las dificultades, por fin, en la primavera de 1811, con veinticinco años, Juan María recibe la tonsura. Al año siguiente es admitido en el seminario de Verrières, donde hará estudios de filosofía. En su primer examen saca una 'd' —'muy deficiente'—, y le envían de nuevo con su párroco Balley. Tras mucho esfuerzo y estudio, saca la filosofía y después la teología, y es ordenado sacerdote el 13 de agosto de 1815 en Grenoble, con 29 años.

Su primer destino es ser coadjutor —ayudante— del párroco de Ecully, de su querido rvdo. Balley, el que le preparó en sus estudios. A los dos años, en diciembre de 1817, enferma el párroco y muere. Juan María es entonces nombrado párroco de Ars, donde llega el 11 de febrero de 1818, y allí se quedará hasta su muerte en 1859.

* * *

Cuando era joven, un día comentó a su madre: 'Si fuese sacerdote, querría ganar muchas almas'. Lo que Juan María entiende por ser sacerdote, las almas a las que puede ayudar a llevar una buena vida cristiana... es lo que le dio fuerza para superar todas las dificultades.

LO QUE DIJO E HIZO

1.4 "¿Qué es el sacerdote? Un hombre que ocupa la plaza de Dios, un hombre revestido de todos los poderes de Dios. *Vamos* –dice Nuestro Señor al sacerdote–, *como mi Padre me ha enviado, yo os envío. Todo el poder me ha sido dado en el cielo y en la tierra. Ve a instruir a todas las naciones. Quien te escucha me escucha; quien te desprecia me desprecia.*

Cuando el sacerdote redime los pecados, no dice: *Dios te perdona.* Él dice: *Yo te absuelvo".*

2.4 "San Bernardo asegura que todo nos viene por María; se puede decir también que todo nos viene por el sacerdote: sí, todas las felicidades, todas las gracias, todos los dones celestes.

Si no tuviésemos el sacramento del orden sacerdotal, no tendríamos a Nuestro Señor. ¿Quién le ha puesto ahí, en ese tabernáculo? El sacerdote. ¿Quién ha recibido el alma en su entrada a la vida? El sacerdote. ¿Quién la alimenta para darle la fuerza para hacer su peregrinación de la vida? El sacerdote. ¿Quién la preparará a presentarse ante Dios, lavando esta alma, por última vez, en la sangre de Jesucristo? El sacerdote. ¿Y si esta alma va a morir por el pecado, quién la resucitará?, ¿quién le devolverá la calma y la paz? Otra vez el sacerdote.

No os podéis acordar de una buena obra de Dios, sin encontrar al lado de este recuerdo a un sacerdote.

Id a confesaros a la Santa Virgen o a un ángel: ¿os absolverán? No. ¿Os darán el Cuerpo y la Sangre de Nuestro Señor? No. La Santa Virgen no puede hacer descender a su divino Hijo en la hostia. Podría haber doscientos ángeles ahí, que no podrían absolverle. Un simple sacerdote puede hacerlo; puede deciros: *Vete en paz, te perdono.*

Oh, ¡qué grande es el sacerdote!".

3.4 Aunque hubiera podido disfrutar de muchos ratos libres y de descanso, ya que el pueblo que le fue confiado era bastante pequeño –unas pocas familias, muchas de las cuales 'pasaban' de la iglesia–, siempre estaba ocupado en algo. Desde el primer momento, vivió en Ars con un constante espíritu de conquista. Él era quien debía llevar a Dios al pueblo y a cada una de las personas del pueblo. Su tiempo era de Dios y de aquellos hombres. No lo podía perder en 'sus' cosas. Tenía un espíritu de conquista para el Buen Dios, que le llevó a trabajar donde otro se excusaría fácilmente pensando que no tenía trabajo.

4.4 'A su llegada, en la primavera de aquel 1818, no había más remedio que comenzar dando un margen de confianza a lo más selecto de lo que heredaba: tres o cuatro ancianitas de buena voluntad. Él las invita a asistir a misa de entre semana y les propone comulgar diariamente. Les enseña a rezar el rosario a la virgen María. Las anima para que acojan en su grupo a algunas niñas, que se sienten más a gusto entre sus abuelas que entre sus madres, tan ocupadas como están. Seis meses después el grupo ya se reúne, por norma, los domingos por la tarde en el jardín de la casa parroquial, si hace buen tiempo; rezan un poco, aprenden cánticos, escuchan con agrado las familiares y entretenidas palabras del señor Cura... Este grupo de simples campesinas pronto le va a servir de contacto con otras personas; el grupo crece y se asocia en la Cofradía del Rosario. Tres años más tarde no alberga sólo a ancianas y niñas, también forman parte de él esposas, madres de familia y jovencitas casaderas.' No se desanima, ni cae en lamentaciones, ni en la típica excusa de que no es fácil cambiar las cosas: trabaja, cuida las pocas personas que tiene, tira de ellas para ir llegando a más personas; es lento... pero lo importante es no perder el espíritu de conquista.

5.4 Trabajó mucho. Pedía a Dios, pero ponía todos los medios para ayudar a los pocos que iban a la iglesia a descubrir a Dios. Renard, un seminarista que fue a ayudarle a Ars un mes del primer verano, 1818, cuenta: 'Se encerraba en la sacristía para escribir su sermón del domingo y aprenderlo de memoria. No lo componía de su puño y letra, lo tomaba del libro 'Instructions familières', con cuidado de adaptarlo a las necesidades de sus feligreses. Allí, a solas..., ensayaba la entonación debida y predicaba como si estuviese en el púlpito'. Él ponía todo de su parte, y esperaba que Dios hiciese el resto.

6.4 Predicaba mucho. En cuanto pudo, catecismo a los niños; después a los adultos; las homilías del domingo, que escribía de pe a pa, pues no se atrevía a soltarse del papel ya que no se fiaba de su memoria y temía olvidarse de todo. Pero, sobre todo, predicaba mucho con el ejemplo.

'Nuestro cura, comentaba la gente, hace todo lo que dice y practica lo que enseña; nunca le hemos visto tomar parte en ninguna diversión; su único placer es rogar a Dios; debe de haber en ello algún goce, puesto que él sabe encontrarlo; sigamos, pues, sus consejos; no desea sino nuestro bien'.

7.4 No se ahorró ningún esfuerzo a la hora de administrar cualquiera de los sacramentos. Dios necesitaba de su sacerdocio para hacer el bien a aquellas personas:

"Las otras buenas obras de Dios no nos servirían de nada sin el sacerdote. ¿Para qué serviría una casa llena de oro, si no tenemos a nadie para que nos abra la puerta? Sin el sacerdote, la muerte y la pasión de Nuestro Señor no servirían de nada.

Tras Dios, ¡el sacerdote lo es todo! Dejad una parroquia veinte años sin sacerdote, adorarán a las bestias.

Cuando se quiere destruir la religión, se comienza por atacar al sacerdote, porque allá donde no hay sacerdote, no hay sacrificio, y donde no hay sacrificio, no hay religión".

8.4 Lo central de su vida, como sacerdote, era celebrar la Misa. La Misa era lo más grande para él. Durante sus cuarenta años en Ars, antes de celebrar la misa –de ordinario a las siete de la mañana– se preparaba durante casi una hora de oración... ¡era tan grande lo que iba a realizar!:

"Si uno tuviera suficiente fe, vería a Dios escondido en el sacerdote como una luz tras su fanal, como un vino mezclado con el agua.

Hay que mirar al sacerdote, cuando está en el altar o en el púlpito, como si de Dios mismo se tratara".

9.4 "¡Oh! ¡Qué cosa es el sacerdote! Si él se percatara de ello, moriría... Dios le obedece: dice dos palabras y nuestro Señor desciende del cielo.

¡No se comprenderá la dicha que hay en decir la misa más que en el cielo!"

10.4 Según la tradición, en Loreto se encuentra la casa de Nazaret, donde acuden muchos cristianos a rezar desde hace siglos, con la ilusión de estar entre las paredes donde se encontró María adolescente, donde concibió a Jesús. El Cura aprovecha este hecho para comparar:

"Se da mucha importancia a los objetos depositados en la escudilla de la Santa Virgen y del Niño Jesús, en Loreto. Pero los dedos del sacerdote, que han tocado la carne adorable de Jesucristo, que se han sumergido en el cáliz donde ha estado su sangre, en el vaso sagrado donde ha estado su cuerpo, ¿no son más preciosos?

El sacerdocio es el amor del Corazón de Jesús. Cuando veas al sacerdote, piensa en Nuestro Señor".

11.4 "El sacerdote no es sacerdote para sí mismo. Él no se da la absolución. No se administra los sacramentos. No es para sí mismo, lo es para vosotros".

12.4 También acompañó, con la unción de los enfermos y la confesión, a todos en sus últimos momentos, sin importarle el clima, las horas o su estado de salud. Un día que se encontraba muy mal, se fue a pie a casa de un enfermo de Savigneux para oír su confesión. Estaba tan enfermo el pobre Cura, que tuvieron que llevarle hasta su casa y meterle en cama. Lo mismo le acaeció un día lluvioso de otoño, al ser solicitado su ministerio por una familia de Rancé. Calado hasta los huesos, temblando de fiebre, tuvieron que acostarle en la misma cama del enfermo. En esta postura le confesó.

"Estaba más enfermo que el enfermo"

–decía con humor al regresar–.

13.4 Jamás se negó, jamás. Se dio siempre a los demás sin interés alguno. 'La señorita Bernard, de Fareins, enferma de un cáncer, deseaba antes de morir tener el consuelo de ver por última vez al Cura de Ars, de quien oía contar maravillas. El reverendo Dubouis le escribió cuatro palabras para comunicarle los deseos de la enferma. Era el día del Jueves Santo de 1837, día en el que tenía la costumbre de pasar toda la noche en la iglesia, acompañando a Jesús en el Monumento. Sin haber dormido, partió enseguida para Fareins. Se equivocó en el camino; después de dar vueltas y vueltas, llegó cubierto de barro y muerto de fatiga. No quiso aceptar ni un vaso de agua. Como ya era conocido, la gente del pueblo le abordaba por la calle. Sin la menor queja, atendió amablemente a cada persona, y se volvió a su casa sin darse importancia.

Lo mismo en 1852, con 66 años, el Rdo. Beau —Cura de Jassans y confesor ordinario del Cura de Ars durante 13 años–, cayó gravemente enfermo: 'Mi amigo vino a visitarme. Era por la tarde del día del Corpus, el 11 de junio. Hizo el viaje a pie, con un fuerte calor y después de haber presidido en Ars la procesión del Santísimo Sacramento', contaba agradecido este sacerdote'.

14.4 'Del nuevo cementerio, inaugurado en 1855, a trescientos metros de la iglesia y bendecido por él, el Cura de Ars gustaba de repetir:

"¡Es un relicario!".

Había ayudado a bien morir a cuantos en él reposaban, aun a ciertos pecadores, de los cuales, según testimonio de los ancianos del pueblo, ninguno se le escapaba en aquel terrible trance, por lo que el Santo los creía a todos en salvo'.

15.4 Vivió, también, para la eucaristía. 'La mayor alegría del Cura de Ars era repartir las sagradas hostias. Con frecuencia las repartía con lágrimas en los ojos'.

16.4 "El sacerdote es como una madre, como una comadrona para un niño de pocos meses: ella le da su alimento: él no tiene más que abrir la boca. La madre le dice a su hijo: *Toma, pequeño mío, come.* El sacerdote os dice: *¡Tomad y comed el cuerpo de Cristo que os guarde y os conduzca a la vida eterna!* ¡Qué palabras más bellas!

Un niño, cuando ve a su madre, va hacia ella; lucha contra quienes le retienen; abre su boquita y tiende sus pequeñas manos para abrazarla. Nuestra alma, en presencia del sacerdote, se alza naturalmente hacia Dios, sale a su encuentro".

17.4 Amó la confesión, pero no la confesión en general, sino el perdón y la paz que podía llevar a cada alma en la confesión. No desaprovechaba ocasión: cogía las almas al vuelo. Cuenta un testigo de entonces:

"Amigo mío, haga usted venir a una señora que está en el fondo de la iglesia".

Y me indicó cómo la encontraría. Yo no encontré a nadie en el sitio señalado. Voy a decírselo, y

"daos prisa, replica, ahora está delante de tal casa".

Voy corriendo y doy alcance a la señora que se alejaba, desolada por no haber podido aguardar más.

Una pobre mujer, que sin duda por tímida había perdido dos o tres veces su turno, llevaba ya ocho días en Ars sin poder acercarse al Rdo. Vianney. Al fin, el mismo Santo la llamó; o mejor dicho, fue a buscarla y la condujo a través de la multitud hasta la capilla de San Juan Bautista. Sintiéndose feliz, le cogía de la sotana, deslizándose por el pasillo que le iban abriendo'. Sabía por experiencia que la gracia tiene sus momentos; que puede pasar para no volver. Así, pues, cuando llegaba la ocasión cogía las almas al vuelo.

18.4 En el confesionario hablaba de corazón a corazón, convencido de que

"el sacerdote es como una madre".

Cualquier pecador que se le pusiese
delante le conmovía; se dirigía a ellos con tal cariño y con tantas ganas de curarles que le bastaban
pocas palabras para darles el empujón definitivo
que les ayudaba, que les elevaba, cuando se sentían incapaces de confesar algunos hechos de sus
vidas. Por lo demás, fuera de casos excepcionales,
como, por ejemplo, el de una confesión general,
era muy expeditivo y exigía que lo fuesen. 'En
cinco minutos –decía el señor Combalot– metí
toda mi alma dentro de la suya. No andaba con
cumplidos: decía lo que tenía que decir; cuando
era del caso, decía a los hombres, fuese cual fuere
su condición: "¡Tal cosa no está permitida!"
'Conocía el punto donde había que asestar el
golpe y raras veces dejaba de dar en el blanco'.

19.4 Con el paso del tiempo, su fe en lo
que es el sacerdote, en lo que era él,
no cayó en la rutina ni en el acostumbramiento.
Renovaba su entrega a Dios como sacerdote.
Un año, al terminar la misión, se celebró una
ceremonia en la que los sacerdotes renovaban
sus promesas. El Cura de Ars pronunció las palabras del ritual, y lo hizo con tanta devoción que
los otros sacerdotes se emocionaron.

20.4 Era frecuente en aquellos tiempos organizar 'misiones' en los pueblos, unos días en los que se intensificaban los cuidados espirituales de aquella gente, con más catequesis, más predicación y más tiempos de confesiones; normalmente se pedía a otros sacerdotes que se trasladasen allí durante esos días. El Cura de Ars, cuando tenía que acudir a alguna 'misión' a otro pueblo, siempre pedía a algún cura vecino que le reemplazase para asegurar el servicio de su parroquia. Pero él siempre visitaba a sus feligreses una vez a la semana. Durante la misión de Trevoux, en pleno mes de enero, andaba a pie y de noche las dos leguas que le separaban de Ars. El señor Mandy, alcalde del pueblo, solía mandar a su hijo que le acompañase.

'Aún los días de nieve y frío, cuenta Antonio Mandy, raramente seguíamos el camino más corto y mejor trillado. El señor Cura siempre tenía que ejercer su ministerio cerca de algún enfermo. El trayecto, empero, no se me hacía largo, pues el siervo de Dios sabía hacerlo corto, amenizándolo con hechos interesantes de las vidas de los Santos. Si alguna vez hacía yo algún comentario sobre la crudeza del frío o dificultad de los caminos, su respuesta estaba siempre pronta:

"Los Santos, amigo mío, sufrieron mucho más. Ofrezcamos esto a Dios".

Cuando cesaba de hablar de cosas espirituales, se ponía a rezar el rosario. Todavía tengo el regusto del edificante recuerdo de aquellas conversaciones'.

21.4 Era sacerdote para todos, no sólo para los de su pueblo: sacerdote de Jesucristo para todos los hijos de Dios. Por eso, cuando algunos curas, viejos o enfermos, como los de los pueblos vecinos Villeneuve y Mizerieux, no podían atender bien sus parroquias, espontáneamente su compañero de Ars se ponía a sus órdenes.

'Iba de noche a visitar a los enfermos de Rancé, de Saint-Jean-de-Thurigneux, de Savigneux y de Ambérieux-en-Dombes. Si le llamaban en domingo, partía enseguida, después de la misa mayor, sin entrar en su casa, y volvía en ayunas al tiempo de vísperas'.

22.4 No le interesaba más que ser sacerdote: era ese su mayor orgullo. En la última década, el emperador le designó para nombrarle Caballero de la Legión de Honor. El nombramiento apareció en los periódicos. El alcalde, señor des Garets, le comunicó la noticia.

– ¿Tiene asignada alguna renta esta cruz?... ¿Me proporcionará dinero para mis pobres? –preguntó el Santo sin manifestar contento ni sorpresa.

— No. Es solamente una distinción hono-rífica.

— Pues bien, si en ello nada ganan los pobres, diga usted al Emperador que no la quiero.

23.4 'He visto a Dios en un hombre', decía del Cura de Ars un viñador. Un joven peregrino decía: 'Cuando se ha tenido la dicha de ver a este sacerdote, no concibo que sea uno capaz de ofender a Dios'.

Maqueta de la villa de Ars en 1818. ① Casa del cura ② Cementerio ③ La Providencia

5
Rezar y amar:
oración

Ars era una aldea de Mizerieux, que no llegaba a los 230 habitantes. En 1804, el sacerdote Lecourt, que decía allí Misa clandestinamente, enviaba al obispo este informe acerca de Ars: *"Tan sólo frecuentan los sacramentos las mujeres, las muchachas y los niños, a quienes yo he dado la primera comunión. Todos los hombres —señores o criados— se mantienen deliberadamente al margen. Son bastante asiduos, no obstante, a los oficios... Enseñar catecismo a los niños es tarea enojosa en razón de lo estúpidos e ineptos que son estos seres, la mayor parte de los cuales no se diferencian en nada de los animales salvo en el bautismo".* A éste le suceden otros sacerdotes que atienden Ars, junto a otros pueblos, desde Mizerieux. *'Había una gran dejadez en la parroquia'*, dice el alcalde.

Juan María viaja a pie los treinta kilómetros que separan Ecully de Ars. Es un viernes; en la tarde se extiende la niebla sobre la campiña; se desorientan, *hasta que encuentran unos niños que cuidan sus ovejas. Antonio Givre, de 10 años, es quien le indica el camino; el nuevo cura le dice: 'tú me has mostrado el camino de Ars, yo te mostraré el camino del cielo'. Al darse cuenta el chaval que es el nuevo párroco del pueblo, le hace saber que justo aquél es el límite de la parroquia. Juan María cayó de rodillas y rezó.*

* * *

"¡Qué pequeño es!", cuenta que le vino a la cabeza en un primer momento. Y de rodillas de nuevo, rezó.

La imagen de este joven cura tirado al suelo suplicando a Dios a la vista de su parroquia es la que mejor nos expresa la vida íntima del cura de Ars. Él quería ganar almas para el Buen Dios; y allí delante las tenía. Era consciente de su 'nada': su cuerpo era débil, su inteligencia lenta, su hablar sencillo y torpe... Tenía que hacer algo grande –acercar al Dios infinito aquella gente 'perdida'– con la nada que era él. Desde el primer momento sabe que debe pedir a Dios. Y ora.

Su misión será posible con su oración, y enseñando a su gente a hacer oración. Él reza, y hace rezar. Ante todas las situaciones recurre a la oración; y a todos les anima a rezar. Desde los primeros días, a las cuatro de la madrugada se pone ante el sagrario a rezar, hasta las siete que celebraba la Misa. A lo largo del día pasaba otros momentos por la iglesia. Por la tarde dirigía el Rosario, al que poco a poco se va sumando gente del pueblo. Y ya por la noche, reza largamente ante el Santísimo. Después va a la casa parroquial, donde lee –preferentemente vidas de santos– hasta las once, hora en la que se acuesta.

LO QUE DIJO E HIZO

1.5 *"¡Dios mío, concédeme la conversión de mi parroquia; consiento en sufrir cuanto quieras durante toda mi vida, durante cien años los dolores más vivos, con tal que se conviertan!"*

Con estas palabras insistía a Dios en su oración durante los primeros años, tirado ante el sagrario de la Iglesia. Muchos días, al amanecer todavía estaba allí en oración. 'La gente lo advertía por la luz que penetraba a través de los cristales'.

2.5 "La oración no es otra cosa que una unión con Dios. Cuando se tiene el corazón puro y unido a Dios, uno siente un bálsamo, una dulzura que embriaga, una luz que ciega. En esta unión íntima, Dios y el alma son como dos trozos de cera fundidos juntos; no se les puede separar. Es muy bella la unión de Dios con sus criaturas. Es una felicidad que no se puede entender".

3.5 Sólo hay dos formas de vivir: pendientes de nuestras cosas, o pendientes de las cosas de Dios; vivir encerrados en nuestro yo, o vivir acompañados de Dios. Por eso animaba constantemente:

"Todo bajo los ojos de Dios, todo con Dios, todo por satisfacer a Dios: ¡oh! ¡qué bello es vivir así!

Vamos, mi alma, tú vas a conversar con el Buen Dios, a trabajar con él, a caminar con él, a combatir y sufrir con él. Trabajarás, pero él bendecirá tu trabajo; andarás, pero él bendecirá tus pasos; sufrirás, pero él bendecirá tus lágrimas. ¡Qué grande es, qué noble, qué consuelo hacer todo en la compañía y bajo los ojos del Buen Dios; pensar que él ve todo, que cuenta con todo! Digamos, pues, cada mañana: *todo por agradaros, Dios mío; ¡todas mis acciones por ti!*

El pensamiento de la santa presencia de Dios es dulce y consolador. Uno no se cansa; las horas pasan como minutos; en fin, es un adelanto del cielo".

4.5 Muestra lo distinta que es la vida de quien hace oración y de quien no la hace recurriendo a la comparación entre la vida y el vuelo de distintas aves, conocidas por los hombres de campo que le escuchan:

"El que no reza es como uno de esos pájaros pesados, que no pueden elevarse en el aire: vuelan un poco, caen rápidamente, y arañando la tierra se estrellan contra ella pareciendo que éste es su único placer. Quien reza, por el contrario, es un águila intrépida, que planea en el aire y parece querer aproximarse al sol. He aquí al buen cristiano que vuela con las alas de la oración.

¡Oh! ¡Qué buena es la oración! El hombre que está en gracia con Dios no necesita que se le enseñe a rezar: conoce lo que es la oración como algo natural".

5.5 "El Buen Dios no necesita de nosotros: si nos pide rezar, es porque él quiere nuestra felicidad, y nuestra felicidad no puede encontrarse más que allí. Cuando nos ve venir, inclina su corazón hacia la criatura, como un padre que se inclina para escuchar a su pequeño que le habla.

Por la mañana hay que hacer como el niño que está en su cuna: en cuanto abre los ojos, mira rápido para ver a su madre...".

6.5 Jesús insistió mucho en que pidiésemos. Pedir significa reconocer la dependencia y necesidad de Dios. El Cura pedía y hacía pedir:

"Al Buen Dios le gusta ser importunado.
El hombre es un pobre que precisa pedir todo a Dios".

7.5 Cuando las cosas le iban mal, o quería algo de Dios, se tiraba ante el sagrario,

"como el perrillo a los pies de su amo",

como le gustaba decir.
Un día le comentaba a Catalina Lasagne:

"Dios me concede muy pronto lo que le pido, salvo cuando pido algo para mí".

8.5 "Hay dos cosas para unirse a Nuestro Señor y alcanzar la salvación: la oración y los sacramentos. Todos los que han sido santos han frecuentado los sacramentos y han elevado su alma a Dios por medio de la oración".

9.5 "El tesoro de un cristiano no está sobre la tierra, está en el cielo; nuestro pensamiento debe estar donde está nuestro tesoro.
El hombre tiene una bella función, la de rezar y amar. Reza, ama: he aquí la felicidad del hombre sobre la tierra.

La oración es un gusto adelanto del cielo y del paraíso. No nos deja nunca sin dulzura.

Las penas se deshacen ante la oración bien hecha, como la nieve ante el sol".

10.5 "Hay dos gritos en el hombre: el del ángel y el de la bestia. El grito del ángel es la oración; el de la bestia, el pecado.

Los que no rezan se inclinan hacia la tierra, como un topo que hace un agujero en la tierra para esconderse. Son terrestres, atontados, y no piensan más que en las cosas del tiempo...

¡Qué dulzura encontramos al olvidarnos de nosotros mismos para buscar a Dios!

En el cielo, si hubiera un día sin adoración, ya no sería el cielo; y si los condenados, pese a sus sufrimientos, pudiesen adorar, ya no habría infierno.

¡Pobres condenados! Tenían un corazón para amar a Dios, una lengua para bendecirle: ese era su destino; y se han condenado a maldecirle durante toda la eternidad".

11.5 Sería falso, sin embargo, pensar que en la oración siempre se encontraba encendido. En su juventud y en su madurez sufrió en la oración la monotonía y la aridez. Por eso, con su experiencia personal, decía:

"Nuestro pobre corazón es seco como una teja, como un pedazo de corcho, duro como una piedra, frío como el mármol".

Pero no la abandonaba por no sentir nada. La oración es lo que es, aunque uno no sienta nada.

12.5 Le gustaba repetir esta oración que tenía copiada de su puño y letra:

"Dios mío, si mi lengua no es capaz de decir a cada momento que os amo, quiero que mi corazón lo diga tantas veces cuantas respiro. Dios mío, concédeme la gracia de sufrir amándote y de amar sufriendo. Yo os amo, oh divino salvador mío, porque tú has sido crucificado por mí. Yo os amo, oh Dios mío, porque tú me tienes aquí abajo crucificado por ti... Concédeme la gracia de morir amándote y sintiendo que te amo...".

13.5 "En el alma unida a Dios, es siempre primavera.

La oración es una rosa aromatizada; pero hay que rezar con un corazón puro para poder olerla.

La oración desprende nuestra alma de la materia; la eleva a lo alto como el fuego que infla los globos".

14.5 Insistía en que rezar no es cuestión de decir palabras: rezar es dirigirse a Dios, abrirse a él:

"Cuando se reza, hay que abrir el corazón a Dios, como el pez que estando en tierra seca ve llegar una ola".

15.5 Lo que más dificulta abrir el corazón a Dios, es tenerlo lleno de cosas:

"Desgraciadamente no tenemos el corazón lo suficientemente libre ni puro de toda afección terrestre".

Y ponía un ejemplo:

"Toma una esponja seca y limpia, empápala en licor, se llenará hasta que se vierta. Pero si no está seca y limpia, no se llevará nada. Así mismo, cuando el corazón no está libre y desprendido de las cosas de la tierra, por mucho que lo empapemos en la oración, no sacará nada de ella".

16.5 Y trataba de explicar que la oración es algo que ocurre dentro, en el interior, en lo íntimo, en el alma de cada persona que quiere hacerla:

"El cielo se fundía en el alma de los santos, y ellos se bañaban y se ahogaban en él.

Como los discípulos en el monte Tabor no vieron más que a Jesús solo, las almas interiores, en el Tabor de su corazón, sólo ven a Nuestro Señor. Son dos amigos que no se cansan nunca el uno del otro.

La vida interior es un baño de amor en el cual el alma se sumerge.

Dios mantiene al hombre interior como una madre aguanta la cabeza de su hijo en sus manos para cubrirle de besos y caricias.

¡Unión con Jesucristo, unión con la Cruz!

Ser amado de Dios, estar unido a Dios, vivir en presencia de Dios, vivir por Dios: ¡qué bella vida!, ¡qué bella muerte!"

17.5 Empleaba muchas parábolas o comparaciones para expresar lo que supone la oración.

"De la oración surge una dulzura sabrosa, como el jugo que destila un racimo de uvas bien maduro".

18.5 Y esta otra comparación, tan clara para aquel pueblo lleno de agricultores:

"La oración es a nuestra alma lo que la lluvia a la tierra. Abonad una tierra todo lo que queráis. Si falta la lluvia, de nada servirá cuanto hagáis".

19.5 "El alma que reza poco es como esas aves de corral que, aunque tienen grandes alas, no saben volar.

Quien no reza es como las gallinas o los pavos, que no pueden alzar el vuelo. Si echan a volar, su vuelo dura muy poco y enseguida caen al suelo; les gusta escarbar en la tierra, hunden en ella sus garras y se la echan encima, como si sólo encontraran placer en eso".

20.5 Pedía a todos que se esforzasen por mantener la presencia de Dios durante todo el día:

"Tendríamos que tener el mismo cuidado en no perder la presencia de Dios que el que tenemos en no perder la respiración".

21.5 "Hay quienes se abandonan en la oración como un pez en el agua.

Para rezar bien no es preciso hablar mucho. Sabemos que el Buen Dios está allí, en el tabernáculo santo; uno le abre su corazón y se complace en su santa presencia. Ésa es la mejor oración".

22.5 Durante el curso 1829 la cosecha de trigo fue muy mala en toda la región. Había fundado, años atrás, una residencia para niñas huérfanas. Mantenía aquel horfelinato, que llamó la Providencia, con lo que daban los feligreses. A causa de la mala cosecha, llegó un momento en el que todo el trigo que tenían se reducía a cuatro puñados esparcidos sobre el pavimento. El Cura pensó en reintegrar a sus hogares una parte de las huérfanas.

¡Qué tristeza! ¡Pobres niñas! ¿Volverían a caer en la miseria y en los peligros de alma y cuerpo? No pudiendo esperar nada de los hombres, el Cura de Ars quiso hacer una prueba suprema: por intercesión de aquel Santo que de un modo tan palpable le había sacado de apuros durante sus estudios, pidió un verdadero milagro. Reunió en un solo montón en medio del granero todo el trigo disperso por el suelo, y ocultó en él una reliquia de San Francisco de Regis, el taumaturgo de la Louvex, y después de haber recomendado a las huerfanitas que se uniesen a él para pedir a Dios «el pan de cada día», se puso en oración, y ya tranquilizado, esperó.

—Vete al granero a preparar el trigo que nos queda, dijo a Juana-María Chanay. Juana-María era la panadera de la Providencia, y quizás acababa de recordarle que el desván estaba vacío. ¡Agradable sorpresa! La puerta apenas se entreabre, y de la estrecha rendija sale un chorro de trigo. Juana-María desciende al piso del señor Cura.

— Pero, ¿es que ha querido usted probar mi obediencia? — le dice. El granero está lleno.

— ¿Cómo, está lleno?

— Sí, rebosa; venga y verá.

Subieron ambos y echaron de ver que el color de aquel trigo era diferente del que tenía el otro.

Nunca el granero había estado tan lleno. Se maravillaron de que la viga maestra, algún tanto carcomida, así como el pavimento, no se vinieran abajo. El montón de trigo tenía la forma de un cono y cubría toda la superficie. Al visitar un día Mons. Devie aquel lugar con el Rdo. Vianney, le preguntó a quemarropa: El trigo llegaba hasta allí, ¿no es esto? El obispo señalaba con el dedo un punto bastante elevado de la pared.

— No, Monseñor, más arriba... Hasta allí. El Rdo. Vianney les hacía orar a los niños cuando quería alguna gracia, y

"en tales casos —decía el Cura de Ars— siempre he sido escuchado".

Experimentaba, según su propia palabra, que las oraciones de los niños llegan al cielo embalsamadas de inocencia'.

23.5 Le gustaba rezar con los salmos, dirigir esas oraciones; muchos de los salmos fueron compuestos por David para pedir perdón a Dios por haber pecado gravemente (hizo matar un oficial de su ejército para quedarse con su mujer, a la que ya había adulterado).

"Cuando pienso en estas bellas oraciones, solía repetir, me siento tentado de exclamar: ¡Dichosa falta! Pues si David no hubiese tenido pecados que llorar, no las poseeríamos".

24.5 Sobre todo, rezaba los salmos en el breviario, libro de oraciones que los sacerdotes rezan a diario. Cuenta el Rdo.

Tailhades que siempre lo llevaba bajo el brazo; cuando le preguntó porqué, le respondió:

"El breviario es mi fiel compañía: no podría ir a ninguna parte sin él".

Un día, cierto abogado de Lyon le estuvo mirando durante largo rato, mientras rezaba aquellas oraciones: 'Su fisonomía —escribía— reflejaba los grandes sentimientos de su alma; su boca parecía saborear lo que embargaba al espíritu; sus ojos estaban iluminados y resplandecían. Hubiérase dicho que respiraba un aire más puro que el de la tierra, y que, libre del estrépito del mundo, no entendía otras palabras que las del Espíritu Santo'.

Permanecía allí, 'inmóvil como una estatua, sin apariencia alguna de distracción, de la que también estaba libre en el interior de su alma'. Hablando de las personas que se distraen en la oración, decía en uno de sus catecismos:

"Las moscas se apartan del agua hirviendo; no caen sino en el agua fría o tibia".

25.5 Sus catequesis y homilías las preparaba concienzudamente. Con el número cada vez mayor de peregrinos que acudían allí a confesarse, empezó a tener dificultades para sacar el tiempo necesario para preparar su catequesis de las once: 'Desde el día —dice el maestro

Pertinand– en que la afluencia de los peregrinos no le dejó el tiempo necesario, hizo una novena al Espíritu Santo para conseguir la gracia de saber hablar sin pararse. Al fin de esta novena se fue directamente al púlpito, se entregó a su inspiración y así lo hizo en adelante'. Confiaba ciegamente en el Espíritu Santo, a quien le encargó el asunto; no confiaba en su improvisación.

26.5 Deseó la soledad para poder entregarse del todo a la oración y a la contemplación de las cosas de Dios. Pero con tantísimos penitentes que le llegaban, lo tenía cada vez más difícil. Y ni siquiera tenía el placer de tener soledad, como los demás sacerdotes, en los ejercicios espirituales una vez al año. La última vez que quiso hacerlos –era en 1835, en el seminario de Brou–, su obispo Mons. Devie le envió a su parroquia antes de comenzar: 'Usted no tiene necesidad de retiro, le dijo el prelado, y en cambio los pecadores tienen necesidad de usted'. Y el pobre Cura se marchó sin oponer la menor resistencia, sin decir un 'pero'.

9 de Febrero de 1818. El joven sacerdote Vianney va por primera vez a Ars. A un kilómetro del pueblo pregunta a un niño, y de rodillas reza. En ese mismo lugar se encuentra esta escultura.

6
Avaros del cielo:
cielo y pobreza

Desde el primer momento, llama la atención a la gente del pueblo cómo reza y celebra la Eucaristía el nuevo cura. Y también llama la atención su libre y generosa pobreza. Al llegar a la casa parroquial, en seguida pide que se lleven de allí todo lo que no es imprescindible para vivir.

Da siempre, y da todo lo que puede. Y lo hace con cualquiera. Cambia su pan blanco por el duro a los mendigos; da sus zapatos; vende lo que puede...

Cuando lleva cinco años, en 1823, comienza con su proyecto que llamará la Providencia. Es una escuela gratuita para niños, que va albergando a pequeños en su mayoría huérfanos: lo que empieza con doce camas, termina por acoger a sesenta, que van de los 6 a los 20 años. Él no tiene un céntimo en el bolsillo pero, para los que no tienen, consigue lo que sea necesario.

* * *

Quiere amar sólo a Dios y a aquellas almas que Dios le ha encargado, y para eso quiere tener su alma libre, muy libre de todo lo de la tierra. Sabía que cuanto más pobre es uno, más rico es.

Al mismo tiempo que con su persona es austero, con los demás y con Dios es tremendamente generoso: le importa tanto cada persona, ama tanto, que no se conforma al verles pasar necesidad. Busca ganar las almas para el Buen Dios, y también cuida de sus cuerpos.

LO QUE DIJO E HIZO

1.6 "Hay dos tipos de avaros: el del cielo y el de la tierra. El de la tierra no lleva su pensamiento más lejos que el tiempo; nunca tiene suficiente riqueza; amasa, amasa siempre. Pero en el momento de la muerte no tendrá nada.

Os lo he dicho a menudo: es como los que guardan demasiado para el invierno, que cuando llega la cosecha siguiente, ya no saben qué hacer; sólo les sirve para tener problemas. Así mismo, cuando la muerte llega, los bienes no sirven más que para preocupar. No nos llevaremos nada, lo dejaremos todo.

¿Qué diríais de una persona que amontonase en su casa provisiones que tuviera que tirar porque se pudren; y que, sin embargo, dejase piedras preciosas, oro, diamantes que podría conservar y llevarlos a todas partes donde fuese, y con los que haría fortuna?

Pues bien, hijos, nosotros hacemos eso mismo; nos atamos a la materia, a lo que necesariamente se termina, y no pensamos en adquirir el cielo, ¡el único verdadero tesoro!".

2.6 Su gran preocupación es inculcar en los cristianos la convicción de que en la tierra estamos de paso, que vale la pena vivir siendo avaros del cielo.

"La tierra es comparable a un puente que nos sirve para cruzar un río; sólo sirve para sostener nuestros pies.

Estamos en este mundo, pero no somos de este mundo, puesto que decimos todos los días: *Padre nuestro que estás en los cielos.* Hay que esperar nuestra recompensa cuando estemos en nuestra casa, en la casa paterna".

3.6 Quiso vivir pobremente, prescindiendo de todo lo posible, para que nada le atase. Y si podía dar, prescindía sin pensárselo dos veces. Un día, cuando se dirigía al orfanato para explicar el catecismo, se cruzó con un pobre desgraciado que llevaba el calzado destrozado. Inmediatamente, el Cura le dio sus propios zapatos y continuó su camino hacia el orfanato intentando ocultar sus pies descalzos bajo la sotana.

Cuenta Juana-María Chanay:

Le envié una mañana un par de zapatos forrados, enteramente nuevos. ¡Cuál fue mi admiración al verle, por la tarde, con unos zapatos viejos, del todo inservibles! Me había olvidado de quitárselos de su cuarto.

— ¿Ha dado usted los otros?, le pregunté.
— Tal vez sí, me respondió tranquilamente.

4.6 Con idea de corregir a quienes pensaban que ser santo es cuestión de pasar el día en la iglesia olvidando sus obligaciones y la caridad con el prójimo, les decía: "Sentís necesidad de rezar al Buen Dios, de pasar todo el día en la iglesia; pero os asalta la idea de que sería muy útil trabajar por algunos pobres que conocéis y que se hallan en una necesidad extrema; eso agrada mucho más a Dios que todo el día pasado al pie del santo sagrario".

5.6 En sus últimos años le hicieron canónigo. Los canónigos visten sobre la sotana la muceta, una tela morada colocada encima de los hombros. En cuanto le hicieron llegar la muceta la vendió, y dio ese dinero para los pobres y huérfanos. Estaba convencido de que

"los amigos de los pobres son los amigos de Dios".

6.6 "Si tenéis mucho, dad mucho; si tenéis poco, dad poco; pero dad de corazón y con alegría".

7.6 En enero de 1823, a los cinco años de su llegada a Ars, estaba ayudando en la misión del vecino pueblo de Trevoux; hacía mucho frío, y se pasaba horas confesando. Entre varios reunieron dinero y le compraron un pantalón negro abrigado, de pana gorda. Un sábado por la noche, cuando volvía a pie a Ars, se cruzó con un pobre casi desnudo que temblaba de frío.

— "Espere, amigo. Se esconde detrás de una cerca; al momento, aparece con el pantalón en la mano, y se lo da. Al cabo de unos días, en Trevoux, le preguntan si está contento con los pantalones:

— *Ah, sí; he hecho de él muy buen uso: un pobre me lo ha pedido prestado a fondo perdido*", bromeó.

8.6 Quería vivir de tal modo que la tierra ya no le importase, como solía comentar; los bienes de la tierra... ¡son tan poca cosa comparados con los bienes del cielo!

"El mundo pasa, nosotros pasamos con él. Los reyes, los emperadores, todo se va. Nos introducimos en la eternidad, de donde no se vuelve nunca. Sólo se trata de una cosa: salvar tu pobre alma.

Los santos no estaban atados a los bienes de la tierra; no pensaban más que en los bienes del cielo. La gente del mundo, al contrario, no piensan más que en el tiempo presente.

Hay que hacer como los reyes. Cuando van a ser destronados, envían sus tesoros por delante; y estos tesoros les esperan. De la misma manera, el buen cristiano envía todas sus buenas obras a la puerta del cielo".

9.6 "Cuanto más pobre se hace uno por amor de Dios, ¡más rico es en realidad!"

10.6 Vivir atado a los bienes de la tierra, a las cosas que se tienen... es una vida tan tonta, tan baja, que es como vivir muerto: muerto a la vida libre y fabulosa del que goza de los bienes espirituales.

"El Buen Dios nos ha puesto en la tierra para ver cómo nos comportaremos, y si le amaremos; pero nadie se queda en ella.

Si pensáramos un poco, elevaríamos sin cesar nuestras miradas hacia el cielo, nuestra verdadera patria. Pero dejamos llevarnos por el mundo, por las riquezas, por los gozos.

Ved a los santos: ¡cómo estaban despegados del mundo y de la materia! ¡Miraban todo eso con desprecio!".

11.6 'Su corazón se compadecía de todas las miserias –dijo en una ocasión el señor des Garets–. Amaba tiernamente a los desgraciados. Por ellos se despojaba de todo: daba, y daba sin cesar. A fin de poderles hacer limosna, vendía cuanto le era posible: sus muebles, su ropa, el más insignificante objeto que le perteneciese'.

12.6 Con una delicadeza enorme, el Santo Cura de Ars sabía evitar que los numerosos pobres y moribundos del pueblo se sintieran ofendidos. En algunas ocasiones, a personas que abrían una tienda en Ars, les facilitaba el dinero necesario para que dichas tiendas salieran adelante. Y cuando estos hacían ademán de devolvérselo, él se negaba rotundamente y decía:

"Yo no presto, yo doy. ¿Acaso Dios no me da antes a mí?"

13.6 "Nunca se debe menospreciar a los pobres, porque tal menosprecio recae sobre Dios".

14.6 'El dinero parecía quemarle los dedos', en cuanto tenía algo, lo daba. Consiguió mucho dinero para socorrer a los pobres. Se reía y compadecía a la vez de los que siempre quieren tener más y más dinero, más y más cosas:

"Se parecen a quien quisiera llenar un saco con neblina; o mejor, a quien amontonase calabazas para crear un tesoro y, al llegar el invierno, las encontrase podridas".

15.6 "Jamás he visto yo arruinarse a nadie por hacer obras buenas...".

16.6 De mil maneras animaba a vivir siendo avaros del cielo, y no pendientes siempre de tener más y más cosas:

"Un mal cristiano no puede comprender esta bella experiencia del cielo, que consuela y anima a un buen cristiano. Todo lo que hace ser felices a los santos, le parece duro e incómodo.

Ved, hijos míos, estos pensamientos que consuelan: ¿Con quién estaremos en el cielo? Con Dios que es nuestro Padre, con Jesucristo que es nuestro hermano, con la Santa Virgen que es nuestra Madre, con los Santos que son nuestros amigos.

Si comprendiésemos bien nuestra felicidad, casi podríamos decir que somos más felices que los santos en el cielo. Ellos viven de sus rentas; no pueden ganar nada más; mientras que nosotros todavía podemos, en cada instante, aumentar nuestro tesoro.

No hay que considerar sólo el trabajo, sino la recompensa. Un vendedor no tiene en cuenta la dureza de su negocio, sino la ganancia que obtiene. ¿Qué son veinte o treinta años comparados con la eternidad?

Mientra vivimos en el mundo, se nos esconde el cielo y el infierno:

el cielo, porque si conociésemos su belleza, querríamos ir allí a cualquier precio, y con toda tranquilidad dejaríamos este mundo; el infierno, porque si conociésemos sus tormentos, querríamos evitarlos costase lo que costase".

17.6 El Buen Dios nos quiere felices en la tierra y felices después para siempre en el cielo. Lo explicaba con una fábula sencilla:

"Si un príncipe, un emperador, hiciese comparecer ante él a uno de sus súbditos y le dijera:

— *Quiero hacerte feliz; quédate conmigo, goza de todos mis bienes; pero intenta no desagradarme en todo lo que es justo,* ¡imaginad qué gran cuidado, qué ardor pondría este sujeto para satisfacer a su príncipe! Pues bien; Dios nos hace lo mismo, y no nos preocupamos de su amistad; no hacemos ningún caso de sus promesas. ¡Qué lástima!".

18.6 Dice San Pedro en su primera carta que el demonio es nuestro enemigo, que anda detrás de nosotros como un león rugiente buscando la presa que devorar. Y el Cura lo recoge y explica:

"No hay lugar en la tierra del que podamos escapar de la acción del demonio. Le encontraremos en todas partes e intentará arrebatarnos el cielo, pero nosotros podemos salir vencedores.

Cuando creemos que todo está perdido, no tenemos más que gritar: *¡Señor, sálvanos, que perecemos!* Porque Nuestro Señor está ahí, junto a nosotros, nos mira con complacencia, nos sonríe y nos dice: *Verdaderamente me amas, ¡reconozco que me amas!* En efecto, es en los combates contra el infierno y en la resistencia a las tentaciones, cuando probamos nuestro amor a Dios.

Cuántas almas desconocidas hoy en el mundo, un día las veremos en el reino de los Cielos ricas de estas victorias de cada momento. ¡Es a estas almas a las que el Buen Dios dirá: *Venid, benditos de mi Padre, entrad en la alegría de vuestro Maestro*".

19.6 Ejercitar la virtud de la esperanza es importante cuando las cosas cuestan; y consiste en pensar en lo que nos espera.

"Todavía no hemos sufrido como los mártires: preguntadles si están enfadados todavía, si les ha valido la pena. El Buen Dios no nos pide tanto. Una pequeña humillación hace naufragar la barca. Ánimo, amigos míos, ánimo. Cuando llegue el último día diréis: *¡Felices combates que me han valido el cielo!"*

20.6 "Si anduviéramos siempre hacia adelante, como los buenos soldados, al llegar la guerra o la tentación, elevaríamos nuestro corazón a Dios y volveríamos a tomar ánimo. Pero al quedarnos atrás decimos: *Ojalá me salve, es todo lo que necesito. No quiero ser un santo.* Si tú no eres un santo serás un reprobado; no hay término medio; hay que ser una cosa o la otra: anda con cuidado ¡todos los que posean el cielo un día serán santos!

El demonio nos divierte hasta el último momento, como se divierte un pobre hombre hasta que la policía viene a detenerle. Cuando la policía llega, él grita, se atormenta; pero no le sueltan por eso".

21.6 Aconsejaba que todos los días los comenzásemos con un acto de esperanza en el Cielo:

"Nuestro ángel de la guarda está siempre ahí, a nuestro lado, con la pluma en la mano para escribir nuestras victorias. Tenemos que decirnos todas las mañanas: *Vamos, alma mía, trabajemos para obtener el cielo".*

22.6 Ser avaros del Cielo. Y el camino a seguir es claro:

"Los mandamientos de Dios son las enseñanzas que nos da para seguir la ruta del cielo, como los carteles que se ponen a la entrada de las calles o al comienzo de los caminos para indicar los nombres".

23.6 "La vida en esta tierra es como un puente que nos sirve para pasar desde un lado de la eternidad al otro... Al morir hacemos una restitución: devolvemos a la tierra lo que nos ha dado. Un poco de polvo, eso es en lo que nos convertiremos. No hay razones para estar orgullosos.

Humanamente hablando, nos parecemos a los montoncitos de arena que el viento recoge por el camino, que giran un momento y se deshacen rápidamente. Nuestros hermanos y hermanas que están muertos están reducidos a ese puñado de ceniza.

Para nuestro cuerpo, la muerte sólo es una limpieza a fondo.

¡En este mundo hay que trabajar, hay que combatir! ¡Mucho tiempo habrá para descansar toda la eternidad!"

24.6 "En el cielo nosotros seremos dichosos según la dicha de Dios, y hermosos según la hermosura de Dios".

7
Mi sangre por vosotros:
caridad

Nada más llegar a Ars, comienza con las visitas a cada una de las familias del pueblo. "Visitaba a todos sus feligreses, sin contentarse con ir adonde le invitaban, sino presentándose sin ser llamado... —cuenta Catalina Lassagne, que entonces tenía 12 años—. Se interesaba siempre por todo y por todos los de casa y después añadía algunas palabras de aliento... Recuerdo que en mi casa a todos nos parecía una suerte gozar de su compañía". "Si podía —cuenta otro, el hijo del alcalde—, elegía la hora de comer, pues a esa hora resultaba más fácil encontrar a la familia reunida. Para no causar molestias ni pillar a nadie de improviso daba una voz desde lejos, llamando al cabeza de familia por su nombre de pila; después entraba". Y otro, un agricultor pobre, recuerda: "Casi nunca se sentaba; manifestaba un gran desprecio hacia todos los bienes terrenales; sin embargo, cuando estaba con nosotros, hablaba con agrado de nuestra fortuna y de nuestras cosechas. Cuando le llevábamos leña o trigo, él mismo

*nos ofrecía un trago; y ponía mucho empeño y amabili-
dad para obligarnos a aceptar tales delicadezas".*

*Quiso mucho a los pobres. Quiso mucho a los
pecadores. Quiso mucho a los que tenía al lado, incluso a aquellos que le hicieron la vida imposible: a quienes le difamaron, al Reverendo Raymond: durante
ocho años le tuvo como ayudante; fue una persona brusca y poco acertada que trataba al anciano Vianney de
cualquier modo, hasta el punto de que los parroquianos escribieron al obispo para que se lo llevase de allí;
el Cura no lo permitió.*

* * *

*Era bastante consciente —don de Dios— de que
el Buen Dios ama a cada hombre, a cada hijo suyo,
hasta la locura. El Cura de Ars quiso amar a cada hijo
de Dios como Dios le ama. Ahí está la razón por la cual
todo el que estuvo con él se sintió querido. Ese amor le llevaba a una educación y delicadeza en el trato con cualquiera, que asombraba incluso a personas de la alta
sociedad. Estaba dispuesto, por una persona, fuese quien
fuese, a hacer cualquier sacrificio personal: quería dar la
sangre, como Cristo, por cada uno de los de su parroquia.*

LO QUE DIJO E HIZO

1.7 Visitar los sesenta hogares de Ars no era
gran cosa; lo difícil estaba en el modo. 'El

Rdo. Vianney, con su gran sombrero bajo el brazo —casi nunca lo llevaba de otra manera—, salía hacia el mediodía de la iglesia o de la casa parroquial. Estaba seguro de que a tales horas encontraría a todo el mundo en casa. La primera acogida no fue en todas partes benévola. Sin embargo, a los más, cuenta Guillermo Villiers, joven de Ars que entonces tenía diecinueve años, les pareció lleno de bondad, de jovialidad y dulzura; pero nadie le hubiera creído tan profundamente virtuoso.

En estas primeras entrevistas, hablaba casi únicamente de los intereses materiales, de los trabajos, del tiempo, de las futuras cosechas. Procuraba enterarse de la situación de las familias, del número y edad de los hijos, de sus relaciones de parentesco y amistad. Una palabra de religión lanzada al fin de la visita, provocaba la respuesta que permitía juzgar del mayor o menor grado de fe de cada casa'. No dejó a nadie fuera, a nadie. Es de suponer que habría personas de todo tipo, familias para todos los gustos: no dejó a nadie fuera, buscó a todos, se acercó a todos, dio su cariño y cercanía a todos.

2.7 A algunos del pueblo no les hizo ninguna gracia la forma de actuar del nuevo Cura. Sobre todo al principio era algo duro e intransigente. Algunos se le opusieron durante años.

Empezaron las difamaciones. Con motivo de un hecho escandaloso —una joven soltera acababa de ser madre en una casa contigua a la del párroco—, cuatro personas intentaron empañar la reputación del Cura... El Rdo. Vianney sufrió, y perdonó: no dijo nada.

Además, aquellos años —julio de 1830— hubo en Francia un ataque serio a la Iglesia: saquearon el arzobispado de París, a muchos párrocos les echaron de sus casas, se normalizaron los insultos, maltratos y calumnias al clero... También ocurrió esto en Ars: 'Siete de sus feligreses, a quienes parecía demasiado severo, le dieron a entender que tendría que dejar aquel pueblo'. El Cura de Ars no conservó para con ellos ningún resentimiento, ni habló jamás de ellos sino con dulzura. Como Jesús, acusado injustamente por los que amaba, supo sufrir en silencio, perdonar, rezar por ellos y callar.

3.7 Años más tarde volvieron a levantarse críticas y difamaciones contra él. El Cura de Ars sabía que algunas de estas difamaciones venían de otros sacerdotes, y que llegaban al Obispo. Más de una vez, algunos colegas amigos le sugirieron que hablase en su defensa. Pero él siempre optaba por callarse y, para dar razón de su silencio, refería una anécdota sacada de su libro favorito, la Vida de los Santos.

"Un santo dijo un día a uno de sus religiosos*:*

— Ve al cementerio e injuria a los muertos. El religioso obedeció, y al volver le preguntó el santo:

— ¿Qué han contestado?

— Nada.

— Pues bien, vuelve y haz de ellos grandes elogios.

El religioso obedeció de nuevo.

— ¿Qué han dicho esta vez?

— Nada tampoco.

— ¡Ea!, replicó el santo, *tanto si te injurian, como si te alaban, pórtate como los muertos".*

4.7 Quería a la gente, a todos, pero no se tomaba en serio todos los juicios que hacían sobre él:

"Hoy he recibido dos cartas, contaba en una explicación del catecismo: en la una me dicen que soy un santo, en la otra que soy un charlatán. La primera nada me ha añadido, la segunda nada me ha quitado".

El único juicio que le importaba era el que hiciese Dios de él; a los demás, amarles digan lo que digan.

5.7 Era consciente del mal que hace la murmuración. Comparaba al murmurador con el gusano y la oruga:

"La boca del murmurador es como el gusano que agujerea las frutas buenas, una oruga que mancha las flores más bonitas dejando en ellas la huella de su baba".

6.7 Los chismes y cotilleos nos llevan a estar pensando continuamente en lo que tendrían que hacer o haber hecho los demás, en vez de pensar en lo que tengo que hacer 'yo'.

"¿Qué diría usted de un hombre que trabajase el campo del vecino y dejase el suyo sin cultivo? Pues bien ¡Eso es lo que ustedes hacen! Continuamente hurgando en la conciencia del prójimo, y usted deja su campo sin trabajar.

Cuando la muerte llegue, sentiremos haber pensado tanto en los otros y tan poco en nosotros ¡Porque somos nosotros quienes deberemos rendir cuentas! Pensemos en nosotros, en nuestra conciencia, que siempre deberíamos mirar como miramos nuestras manos para saber si están limpias".

7.7 La envidia, los celos, la soberbia, la curiosidad, los cotilleos... destruyen la caridad, incapacitan para amar. Quienes se dejan dominar por cualquiera de esas pasiones, quienes actúan así, los comparaba con la araña:

"Hay personas que se asemejan a la araña, que es capaz de convertir en veneno las mejores cosas".

8.7 "El Buen Dios sólo perdonará a los que hayan perdonado: ¡ésta es la condición! Los santos no tienen nada de odio, nada de hiel; ellos perdonan todo, y siempre se dan cuenta de que más les ha perdonado a ellos el Buen Dios. Pero los malos cristianos son vengativos. El medio de expulsar al demonio, cuando nos suscita pensamientos de odio contra los que nos han hecho mal, es rezar rápidamente por ellos".

9.7 'Hasta el fin de su vida, les dio pruebas de una abnegación extraordinaria. En medio de la mayor afluencia de forasteros, lo dejaba todo para acudir a casa de los enfermos. Siempre estaba a su disposición. Un día, hacia las once de la noche, Magdalena Scipiot fue a buscarle porque su madre se hallaba gravemente indispuesta. Le llamó dos o tres veces desde fuera. Se despertó el santo Cura, entreabrió la ventana y

"voy al instante, hija mía",

respondió. La señora Scipiot se excusó por haberle molestado.

"¡Oh, no, esto no es nada, dijo, todavía no he dado mi sangre por vosotros!".

En el invierno de 1823, durante el jubileo de Trevoux, regresó una noche a su parroquia, a pesar del frío y de la nieve, para visitar a una mujer enferma. Llegó agotado de cansancio, blanco de la escarcha y transido de frío. Nada le arredraba para el bien de las almas de los suyos.'

10.7

A San Juan Bautista, su patrón, le cortaron la cabeza por oponerse a un capricho de Herodes. El Cura Vianney también estaba dispuesto a decir siempre lo que pensaba que tenía que decir, aunque le costase caro. Pero procuraba ingeniárselas para hacerlo con cariño, con humor, sin molestar.

"—Hija mía, ¿cuál es el mes del año en que habla usted menos?",

preguntó el Cura de Ars a una persona a la que le gustaba hablar demasiado. Y como le dijo que no lo sabía, terminó con simpatía diciéndole:

"—Debe ser en febrero, pues es un mes que tiene tres días menos que los demás".

No le faltaba sentido del humor.

11.7

En invierno iban muchos pobres a su casa a pedir:

"¡Qué feliz estoy —decía— de que vengan los pobres! Si no viniesen, tendría que ir yo a buscarlos. Y no siempre hay tiempo".

Les encendía el fuego de la chimenea, les calentaba, y mientras tanto también aprovechaba para hablarles del Buen Dios, les animaba a que le amasen. Algunos le propusieron hacerse cargo ellos de los pobres, para quitarle trabajo al Cura; pero los pobres, con quien querían estar, era con el Cura. Juan Pertinand, que lo vio, cuenta: Los llamaba 'amigos míos' con una voz tan dulce, que se retiraban muy consolados: ¡Se sentían queridos!

12.7 – Hay pobres fingidos, le advertía un sacerdote que le ayudó los últimos años en la parroquia; necesariamente se engaña usted dando a quienquiera que le pida.
– Dando a Dios, nadie se engaña, le respondió el Cura.

13.7 Su cariño a los pobres era muy sobrenatural. Jesús quiso ser pobre, y santificó la pobreza. Por eso le gustaba contar sucesos de la vida de Jesús en los que se presentaba pobre. Contaba con frecuencia aquella anécdota de San Juan de Dios, que al darse cuenta de que los pies del pobre a quien socorría estaban llagados, los besó mientras decía: ¡Eres tú, Señor!; al contar esta anécdota, solía emocionarse.

14.7 Quería a todos, y especialmente a los pobres y a los pecadores. Porque amaba, era ocurrente, se adelantaba a servir, se le ocurría sobre la marcha qué hacer por cada uno. 'Un día de verano, antes de mediodía, el Cura de Ars, sentado en su pequeña cátedra, catequizaba a una multitud de peregrinos. La gente estaba apretujada hasta el umbral de la iglesia, cuando llegó un pobre, cargado con sus alforjas y apoyado en dos muletas. Quería entrar, pero ¡imposible! El señor Cura se dio cuenta de los inútiles intentos del pobre hombre por hacerse un hueco entre la apretada multitud. De repente, se levantó, pasó por entre la multitud y, atravesando las apretadas filas, llevó de la mano al mendigo. En toda la iglesia no quedaba libre ni un asiento. ¿Dónde descansarían, pues, los miembros fatigados del pobre desgraciado?: el Cura de Ars hizo subir al desgraciado a la tarima y le sentó en su sitial, desde el que se domina toda la asistencia, y le dijo:

"¡Ea!"

y continuó predicando de pie.'

15.7 'El Santo Cura de Ars tuvo que sufrir durante ocho largos años –de 1845 al 1853– el modo de ser de un sacerdote a quien la ingenua Catalina Lassagne lo consideraba como enviado de Dios para ejercitar la paciencia de su buen siervo. Fue nombrado auxiliar del

Rdo. Vianney, pero muy pronto se consideró como su tutor. En realidad, el Rdo. Raymond era un buen sacerdote, consagrado del todo a sus obligaciones, pero carecía de cierto tacto y de criterio justo. Hacía años que el Cura de Ars le pagaba la pensión en el seminario, pero el nuevo cura nunca demostró pruebas de su agradecimiento; es más, cuando llegó a Ars se instaló con toda frescura en el cuarto del señor párroco, mientras el Cura de Ars se conformaba con ocupar una habitación sombría y húmeda en la planta baja. Pero pronto esto llegó a oídos de la gente del pueblo y, para que no se produjera un escándalo, el Cura de Ars volvió a ocupar su cuarto y el Rdo. Raymond se marchó de huésped a una casa particular del pueblo.'

16.7 Parece que este joven sacerdote pretendía suplantar y llegar a ser él el cura de Ars. 'Brusco, terco en sus decisiones, alardeando de agudo y de elocuente, trató al que había sido su bienhechor, y era su superior jerárquico, (...) con dureza, sin ninguna atención, sin el miramiento debido a sus años y a su santidad'. Puede decirse en descargo del Rdo. Raymond que no se daba cuenta de lo que le hacía sufrir. Se permitió bastantes veces regañar al siervo de Dios, reprochándole que no le contaba las cosas y que no organizaba a su conveniencia la peregrinación de gentes. 'Llegó al extremo de contradecirle públicamente desde el púlpito'.'Los primeros días, cuenta Catalina L., al ver el Cura a su coadjutor tan joven... intentó ofrecer resistencia ante un temperamento tan opuesto al suyo, pero vio que con ello le irritaba más; procuró tenerle informado de todo, consultándole en muchas ocasiones, y acomodándose en lo posible a su voluntad'. El Cura acabó por querer entrañablemente a su vicario, el Rdo. Raymond. Confiesa éste en una ocasión: Una pena tengo, y es el no haberme aprovechado lo bastante de sus ejemplos; pero cuento con el paternal y tierno afecto que me manifestó.'

17.7 'El pueblo se daba cuenta del mal que estaba haciendo el Rdo. Raymond con su enseñanza, e iban a advertírselo a su cura, el Santo Cura de Ars. Pero éste les contestaba:

"Si le molestáis, nos marcharemos los dos".'

18.7 Su obispo, Monseñor Devie, muy pronto se enteró, y envió al reverendo Dabouis para enterarse de la conducta del Rdo. Raymond, pero el Cura de Ars le decía a éste:

"¡Oh, déjele usted conmigo; me dice las verdades! ¡Cuánto tengo que agradecerle!".

El 24 de octubre de 1848, escribiendo a Mons. Camelet para invitarle a bendecir la capilla de la Providencia, aprovechó la ocasión para hablarle brevemente del Rdo. Raymond:

"Nada he de decir acerca del Rdo. Raymond, sino que es un sacerdote que merece un buen lugar en su corazón, por todas las bondades que tiene conmigo. No crea a las malas lenguas que son refinada malicia".

19.7 En 1853, Raymond fue destinado a otra parroquia. El Cura siempre le defendió. Pero, tras la partida de Raymond, confesó a Catalina:

— Me ha hecho sufrir un poco.

Y otra vez le dice:

— Si yo no hubiera convivido con M. Raymond, nunca habría sabido si yo amaba de veras al Buen Dios.

Interior de la pequeña iglesia. La foto está hecha desde el altar. Se ven tres de las cuatro capillas que hizo construir el santo. En la pared de la izquierda está la sacristía (su puerta da al pié del altar) y las capillas de Nuestra Señora y del Ecce Homo.

8
El cielo en la tierra:
la eucaristía

A su llegada, la iglesia de Ars era pobre y se encontraba descuidada. Pequeña, con una única capilla lateral dedicada a María, un pobre y deteriorado altar de madera, un campanario parcialmente destruido 24 años antes...

Así se encontraba la 'Casa de Dios' que le habían encargado. 'Si tuviéramos fe seríamos capaces de ver a Jesucristo en el santísimo sacramento como los ángeles lo ven en el cielo. Él está ahí. Nos espera', decía. Y como 'todo es poco para Dios', desde el primer momento se puso manos a la obra para conseguir lo mejor para Dios.

El verano de su llegada consiguió un nuevo altar de madera, que nueve años más tarde cambió por otro de mármol con tres figuras esculpidas (el Cordero, San Sixto –patrón de Ars– y San Juan Bautista –su patrón–). Hizo un campanario torre de ladrillo, en el que instaló dos buenas campanas que hizo regalar.

Agrandó la iglesia construyendo una capilla a San Juan Bautista –'si supiesen lo que ha ocurrido en esta capilla –comentó alguna vez– no se atreverían a entrar'–, y quince años más tarde hace construir tres capillas más. Renovó los ornamentos, consiguiendo él mismo en los mercados de Lyon las mejores telas para confeccionarlos; gozaba al ver los tesoros que conseguía para Dios. Funda una Cofradía del Santísimo Sacramento para los hombres del pueblo –con gozo diría al cabo de unos años que siempre encontró personas rezando ante el Sagrario–. Consiguió de des Garets –personas adineradas del pueblo– un enorme Sagrario dorado (ahora se encuentra en la capilla del Bautista). El mismo año en que llegó comenzó a hacer la procesión del Corpus, que fue enriqueciendo poco a poco, con un bello palio que mandó hacer. Y un largo etcétera, siempre con iniciativa para encontrar mejores cosas para este Dios que se ha puesto bajo nuestros cuidados.

LO QUE DIJO E HIZO

1.8 A su llegada, Ars estaba frío y, de alguna manera, indiferente con respecto a Dios. Él quería conquistar el pueblo. El humilde cura rural tuvo como la intuición de que la devoción a la sagrada Eucaristía es y será siempre entre los pueblos el medio más eficaz de renovación cristiana.

"Nuestro Señor está ahí escondido, esperando que vayamos a visitarle y a pedirle. Él está ahí, en el sacramento de su amor; él suspira e intercede sin cesar junto a su Padre por los pecadores. Está ahí para consolarnos; por tanto, debemos visitarle a menudo.

Cuánto le agrada ese pequeño rato que quitamos a nuestras ocupaciones, o a nuestros caprichos para ir a rezarle, a visitarle, a consolarle de todas las injurias que recibe.

Cuando ve venir con prisa a las almas puras... ¡él les sonríe! ¡Y qué felicidad experimentamos en la presencia de Dios, cuando nos encontramos solos a sus pies, delante de los santos sagrarios!".

2.8 "Nuestro Señor dijo: *todo lo que pidáis a mi Padre en mi nombre, os lo concederá.* Nunca habríamos pensado pedir a Dios su propio Hijo. Pero lo que el hombre no podría imaginar, Dios lo ha hecho. Lo que el hombre no puede decir ni pensar y que jamás se había atrevido a desear, Dios, en su amor, lo ha dicho, lo ha pensado, lo ha ejecutado.

Sin la divina Eucaristía, no habría felicidad en este mundo, la vida no sería soportable. Cuando recibimos la santa comunión, recibimos nuestra alegría y nuestra felicidad".

3.8 "El Buen Dios, que quiere darse a nosotros en el sacramento de su amor, nos ha dado un deseo enorme y grande que solamente él puede satisfacer. Al lado de este bello sacramento, somos como una persona que muere de sed encontrándose al lado de un río; no tendría más que agachar la cabeza para beber. Somos como una persona que se queda pobre encontrándose junto a un tesoro; ¡no tendría más que estirar la mano!".

4.8 "Si los cristianos pudiesen comprender este lenguaje de Nuestro Señor que les dice: *Pese a tu miseria, quiero ver de cerca esta bella alma que he creado para mí. La he hecho tan grande que sólo yo puedo rellenarla. La he hecho tan pura que sólo mi cuerpo puede alimentarla".*

5.8 "Hijos míos, no hay nada tan grande como la Eucaristía. ¡Poned todas las buenas obras del mundo frente a una comunión bien hecha: será como un grano de polvo delante de una montaña!

Si pudiésemos comprender todos los bienes encerrados en la santa comunión, no haría falta nada más para contentar el corazón del hombre... el avaro no correría tras los tesoros, ni el ambicioso tras la gloria; cada uno abandonaría la tierra, sacudiría el polvo y se iría volando a los cielos".

6.8 "El que comulga se pierde en Dios como una gota de agua en el océano. No se les puede separar. Cuando acabamos de comulgar, si alguien nos dijera: *¿Qué lleva usted a su casa?*, podríamos responder: *Llevo el cielo*. Un santo decía que somos puertas de Dios. Es verdad, pero no tenemos bastante fe. No comprendemos nuestra dignidad. Saliendo de la mesa santa, somos tan felices como lo hubiesen sido los Reyes Magos si hubiesen podido llevarse al Niño Jesús".

7.8 "Toma un vaso lleno de licor y tápalo bien: lo conservarás el tiempo que quieras. De la misma forma, si guardas a Nuestro Señor después de la comunión con recogimiento, sentirás este fuego devorador que inspira en tu corazón un pensamiento para el bien y una repugnancia para el mal.

No me gusta que, cuando se viene de la santa mesa, uno se pongan en seguida a leer. ¡Oh, no! ¿Para qué sirve la palabra de los hombres, cuando es Dios quien habla? Hay que escuchar lo que el Buen Dios dice a nuestro corazón".

8.8 "Hijos míos, todos los seres de la creación necesitan alimentarse para vivir. Pero el alma también tiene que alimentarse. ¿Dónde está su alimento? El alimento del alma, es el cuerpo y la sangre de Dios. ¡Bella alimentación!

El alma no puede alimentarse más que de Dios. ¡Sólo Dios puede satisfacerla! ¡Sólo Dios puede saciar su hambre! ¡Necesita totalmente a su Dios! ¡Qué felices son las almas puras que tienen la felicidad de unirse a Nuestro Señor por la comunión! En el cielo brillarán como bellos diamantes.

Id pues a la comunión, hijos míos, id a Jesús con amor y confianza. ¡Id a vivir de él, a fin de vivir por él! No digáis que tenéis demasiado que hacer. ¿No dijo el Divino Salvador: *venid a mí vosotros que trabajáis y que no podéis más; venid a mí que os aliviaré*? ¿Podríais resistir a una invitación tan llena de ternura y de amistad?".

9.8 "No digáis que no sois dignos de él. Es verdad que no sois dignos, pero le necesitáis. Si lo que Nuestro Señor hubiese tenido en cuenta hubiese sido nuestra dignidad, nunca habría instituido su hermoso sacramento de amor, pues nadie en el mundo es digno de él, ni los santos, ni los ángeles, ni los arcángeles; pero él ha tenido en cuenta nuestras necesidades, y todos tenemos necesidad de él. No digáis que sois pecadores, que tenéis demasiadas miserias y que es por eso por lo que no os atrevéis a acercaros. Sería tanto como alguien que dijese que está demasiado enfermo, y que por eso no quiere probar un remedio, que no quiere llamar al médico.

Hijos míos, si comprendiéramos el precio de la santa comunión, evitaríamos hasta las mínimas faltas para tener la felicidad de poder comulgar más a menudo. Conservaríamos nuestra alma siempre pura a los ojos de Dios".

10.8 Toda ocasión es buena para ir con la cabeza al sagrario.

"Hijos, cuando os despertáis en la noche, transportaos rápidos en espíritu ante el tabernáculo, y decid a Nuestro Señor: *Dios mío, aquí estás, vengo a adorarte, alabarte, bendecirte, darte las gracias, amarte, hacerte compañía con los ángeles".*

11.8 Él era el primero en buscar la cercanía del sagrario para todo. Las predicaciones las preparaba delante del sagrario. Cuando predicaba se ponía muy cerca del sagrario. ¡Le daba seguridad estar físicamente al lado del sagrario!

12.8 La mayor alegría del Cura de Ars era repartir las sagradas hostias: era Jesús el que metía en cada boca, en cada alma. Con frecuencia las repartía con lágrimas en los ojos.

13.8 "Si amásemos a Nuestro Señor, tendríamos siempre delante de nuestros ojos del espíritu este sagrario dorado,

esta casa del Buen Dios. Cuando estamos en camino y vemos un campanario, al verlo, nuestro corazón debe latir; nos tendría que ser imposible apartar nuestra mirada de allí".

14.8 "¡Ah! ¡Si tuviésemos los ojos de los ángeles, viendo a Nuestro Señor Jesucristo que está aquí presente, en este altar, y que nos mira... cómo le querríamos! No querríamos separarnos de él; querríamos quedarnos siempre a sus pies: sería como el cielo; todo lo demás nos resultaría insípido. He aquí que es la fe lo que nos falta".

15.8 En seguida llamó la atención a las personas del pueblo cómo celebraba misa su nuevo párroco. Les pareció de estatura mediocre y de porte un tanto tosco con su sotana de paño basto y su calzado de campesino. Pero al verle en el altar radiante, transfigurado, celebrando la misa con tanta reverencia y respeto, se dieron cuenta de que creía en lo que ocurría en cada misa: Tenemos una iglesia muy pobre, decía el alcalde; tenemos una iglesia muy pobre, pero tenemos un párroco santo.

16.8 "Estoy contento de ser sacerdote para poder celebrar la misa", decía. Y desde que se levantaba, empezaba a prepararse: 'Todo lo que había hecho después de haberse levantado podía ser considerado como una excelente preparación', decía su confesor. Un tiempo antes de la misa, 'de rodillas sobre las baldosas del coro, estaba inmóvil, con las manos juntas y con los ojos fijos en el sagrario. Nadie era capaz de distraerle'.

17.8 No hacía cosas raras durante la misa; duraba lo normal, una media hora; pero todo en él decía que estaba adorando. Se notaba que no estaba solo en el altar, que estaban allí Jesucristo y su sacerdote; sus movimientos, sus miradas, su actitud, iban expresando lo que correspondía a ese momento de la misa: su amor, su deseo, su arrepentimiento, su adoración, su escucha... es decir, su anonadamiento: el protagonista en la misa era Dios; él le servía en nombre de todos los hombres.

18.8 "Todas las buenas obras juntas no equivalen al santo sacrificio de la misa, porque son las obras de los hombres, y la misa es la obra de Dios. El martirio no es nada comparado con esto: es el sacrificio que el hombre hace a Dios de su vida; la misa es el sacrificio que Dios hace al hombre de su cuerpo y de su sangre".

19.8 "A la voz del sacerdote, Nuestro Señor desciende del cielo y se encierra en una pequeña hostia. Dios detiene su mirada sobre el altar. *Ahí está –dice él– mi Hijo bien amado, en quien yo he puesto todas mis complacencias.* A los méritos de la ofrenda de esta víctima nadie puede resistirse.

¡Qué bello es! ¡Tras la consagración, el Buen Dios está ahí como en el cielo! Si el hombre conociera bien este misterio, moriría de amor.

Dios hace este apaño a causa de nuestra debilidad.

¡Oh! ¡Si tuviésemos fe, si comprendiéramos el precio del santo sacrificio, pondríamos más celo en asistir a él!".

20.8 Aconsejaba hacer muchas veces cada día la 'comunión espiritual', esto es, comulgar espiritualmente, comulgar con el deseo, diciéndole al Señor que deseamos recibirle:

"Tras recibir los sacramentos, cuando sentimos el amor de Dios pararse en nosotros, rápidamente hagamos una comunión espiritual. Cuando físicamente no podemos ir a la Iglesia, volvámonos con nuestra mente hacia el sagrario: para el Buen Dios no hay ningún muro capaz de detenerle. No podemos recibir al Buen Dios más que una vez al día; un alma llena de amor se resarce por el deseo de recibirle sin cesar".

21.8 "Cuando estamos ante el Santo Sacramento, en vez de mirar alrededor de nosotros, cerremos los ojos y abramos nuestro corazón; el Buen Dios nos abrirá el suyo. Nosotros iremos a él, y él vendrá a nosotros; uno pedirá y otro recibirá: será como un soplo de vida que pasará de uno a otro".

22.8 "Todos los seres de la creación necesitan alimentarse para vivir: es por lo que el Buen Dios hace crecer los árboles y plantas: la creación es como una mesa bien servida en la que cada animal pueden tomar el alimento que le conviene. De la misma manera es necesario que el alma se alimente. Cuando Dios quiso dar un alimento a nuestra alma para sostenerla durante el peregrinaje de la vida, puso su mirada sobre toda la creación y no encontró nada que fuera digno. Entonces se miró a Sí mismo y decidió dársenos como alimento. ¡Oh, mi alma, qué grande eres, puesto que sólo Dios te puede contentar!".

23.8 "¿Qué hace nuestro Señor en el sacramento de su amor? Él coge su buen corazón para amarnos, y de él hace salir un río de ternura y de misericordia para ahogar los pecados del mundo.

Sin la divina Eucaristía, nunca habría felicidad en este mundo, la vida sería insoportable. Cuando recibimos la Santa Comunión, recibimos nuestra alegría y nuestra felicidad.

Al comulgar... estamos obligados a decir, como San Juan: *¡Es el Señor!* Quienes no sienten absolutamente nada al comulgar, dan lástima".

24.8 "Se sabe cuando un alma ha recibido dignamente el sacramento de la Eucaristía, porque la Comunión llena el alma de tal amor, la transforma y cambia de tal manera, que ese alma ya no es la misma: ni en su manera de actuar, ni en sus palabras.

Se hace humilde, amable, mortificada, caritativa y modesta; se lleva bien con todo el mundo. Es un alma capaz de los mayores sacrificios.

De la misma manera que el oro y la plata brillan y sobresalen sobre el cobre y el plomo; en el día del juicio final, la humanidad de Nuestro Señor brillará a través del cuerpo glorificado de quienes le hayan recibido dignamente en la tierra.

¡Id a la comunión! ¡Id a Jesús con amor y confianza! ¡Id a vivir de él, para poder, así, vivir por él!

No digáis que tenéis mucho que hacer. ¿No dijo el Divino Salvador: *Venid a mí, vosotros que trabajáis y que no aguantáis más; venid a mí y Yo os aliviaré*? ¿Puedes resistirte a una invitación tan llena de ternura y amistad?".

25.8 Como siempre, buscaba parábolas para explicar, tomando pié en experiencias de cualquier hogar:

"Como un aceite oloroso y refinado se extiende en el trozo de tela y se propaga hasta el último hilo del borde, así se comunica la eucaristía a vuestras almas".

26.8 Todos los años y en todas las iglesias, en la fiesta del Jueves Santo se saca a Jesús de los sagrarios y se le traslada a un lugar preparado especialmente para agradecerle y adorarle, lugar que se llama 'monumento'. El Rdo. –comenta un canónigo llamado Pelletier– procuraba que el monumento fuese espléndido, y disfrutaba contemplando los adornos que realzan la majestad del tabernáculo. Todo el coro estaba tapizado de estandartes. Una iluminación muy bien distribuida resplandecía con mil luces. Todo ello se hacía para no turbar y para ayudar el recogimiento de los fieles. Aprovechaba cualquier ocasión para darle mil cuidados al Dios hecho Pan.

27.8 Según el rito lionés para la misa, a partir de cierto momento el sacerdote debe sostener la Hostia consagrada sobre el cáliz hasta el canto del Padrenuestro. El día de Navidad, en ese momento de la misa cantaron un himno bastante largo, y cuenta el hno. Atanasio: 'Le vi cómo miraba aquella hostia unas veces con lágrimas y otras sonriendo. Parecía que le hablaba; después venían las lágrimas y en seguida las sonrisas. Después de la misa, en la sacristía, le pedimos perdón por haberle hecho esperar tanto. "¡Oh!, el tiempo ha pasado sin que me diese cuenta", nos contestó.

– Pero, señor Cura, ¿qué hacía usted cuando tenía la sagrada hostia en sus manos? Parecía estar conmovido.

– En efecto. Se me ha ocurrido una idea rara. Le decía a Nuestro Señor: ¡si supiese que he de tener la desgracia de no verte durante toda la eternidad, aprovechando que ahora te tengo en mis manos, no te soltaría!'

28.8 Para él, Dios siempre estaba muy cercano, muy cercano. Un día, después del catecismo, mientras se tomaba un ligero descanso, pensando que se encontraba solo en la habitación –no había advertido que en la habitación contigua estaba Juana María Chanay– comenzó a decir entre suspiros:

"De verdad, que no veo a Dios desde el domingo".

Se sobresaltó cuando Juana María, que lo había oído todo, apareció y le preguntó: ¿antes del domingo lo veía usted?'. El Santo Cura, confuso, no le respondió.

Hacia el año 1850, en una de sus instrucciones de las once, decía:

"Ved que somos del todo terrenales, y nuestra fe nos representa los objetos a trescientas leguas de distancia, como si Dios estuviera al otro lado de los mares. Si tuviéramos una fe viva, a buen seguro que le veríamos allí, en el Santísimo Sacramento. Hay sacerdotes que lo ven todos los días en el santo sacrificio de la misa".

En la sacristía, en este confesionario, confesaba a los hombres. Aunque en la foto no se aprecia bien, entre el confesionario y el mueble hay un espacio donde se arrodillaba el penitente, y una rejilla de madera. Llegaba a pasar 18 horas confesando en un día.

9
Combatir sin miedo:
lucha

Jesucristo dice en el evangelio que el Reino de los Cielos lo alcanzan quienes se hacen violencia. Y así fue también en el caso del cura Vianney.

Luchó con él mismo. Desde niño tuvo un carácter impetuoso, algo nervioso, impaciente. Mucha violencia tuvo que hacerse para dominarlo, para ser suave en el trato y mantener el sosiego. El cansancio también le invadía, y luchaba por hacer las cosas venciendo el agotamiento del cuerpo cuando no tenía fuerzas para nada. El encerramiento en el confesonario le costaba, como le cuesta a cualquiera; tanto es así, que en tres ocasiones 'huyó' del pueblo para conseguir algo de tranquilidad —quería tiempo para rezar, y cada mañana se encontraba aquellas enormes colas de las que hablaremos—, pero las tres veces volvió porque sabía que ahí, en el confesonario, era donde el Buen Dios y los demás le necesitaban.

También los demás le propiciaron ocasiones de lucha. A los pocos años de llegar al pueblo, una señora se ponía a gritar todas las noches durante unos meses habladurías contra el Cura: que tenía un hijo con una joven de otro pueblo. Algunos habitantes de Ars fueron contra él: le querían echar de Ars. Durante ocho años tuvo como ayudante al reverendo Raymond, persona brusca y poco acertada que trataba al anciano Vianney de cualquier modo, hasta el punto de que los parroquianos escribieron al Obispo para que se lo llevase de allí; el Cura no lo permitió.

Luchó por la vida cristiana en su parroquia: cuando llegó a Ars se propuso combatir lo que dañaba la salud espiritual del pueblo. Por un lado, los bebedores: muchos hombres pasan horas y horas en las tabernas, y con frecuencia beben en exceso: 'el vino ahoga, asfixia nuestra alma', dice. Por otro lado, luchó contra los bailes, muy ligeros de costumbres en la moda de entonces; a los pocos meses de llegar a Ars, casaba a unos jóvenes, él de 18 años, ella de 14; a los tres meses tenían el hijo; al cura le duele, y sabe que los bailes son el caldo de cultivo. Otra costumbre contra la que lucha es la de trabajar los domingos: después de muchos años hablando con ellos y enseñando, cuentan en el pueblo que quien decidía trabajar lo hacía a escondidas, por vergüenza.

También tuvo que mantener una lucha contra el Gavilán, como llamaba a Satanás —el gavilán es una ave carroñera, parecido a los buitres—. Dios permitió que tuviese experiencias directas con él.

* * *

'La vida del hombre sobre la tierra es milicia',
dice el Antiguo Testamento; la vida del Cura de Ars
fue milicia, combate a favor del Buen Dios, a fin de
que Éste reinase en él, en su pueblo, en las almas que
se le confiaban.

LO QUE DIJO E HIZO

1.9 Cuando estudiaba en el seminario, fue llamado a la milicia: durante aquellos años Francia estaba en guerra con varios países y necesitaba en el ejército a todos los hombres jóvenes. Juan María fue citado para alistarse con la tropa que se dirigiría a luchar en España. Llegó tarde a la salida. Aunque les siguió, no los alcanzó; como era de pequeña estatura y algo débil, a medida que iba andando tras ellos, la distancia que le sacaban era cada vez mayor. Llegó un momento en el que resultaba peligroso continuar, pues podrían interpretar que era un prófugo; resolvió refugiarse en un pueblo pequeño, con una familia, como si fuese un primo de los hijos.

Un día, unos militares inspeccionaban ese pueblo, en busca de posibles desertores. Juan María se escondió en el pajar de la casa. Los militares, pinchando en la paja, comprobaban que no había allí ninguna persona escondida. El heno, en fermentación, desprendía una sustancia que le ahogaba. Un militar, al explorar el montón de hierba bajo el que se ocultaba, pinchó a Juan María con la punta del sable, con la mala suerte de que permaneció así un buen rato, mientras hablaba con otro de los soldados. Él no hizo ningún movimiento, a pesar de la asfixia y del dolor fortísimo del largo pinchazo.

Años más tarde contaba que en su vida no había padecido tanto como en esos minutos, y que entonces hizo a Dios la promesa de no quejarse jamás. Siendo muy mayor decía:

"todavía guardo mi palabra".

Si por amor a salvar su vida fue capaz de aguantar aquello, por amor a Dios quería aguantar cualquier otro sufrimiento.

2.9 "Así como el soldado no tiene miedo del combate, el buen cristiano no debe tener miedo de la tentación. Todos los soldados son buenos en la guarnición, en los momentos de paz: es en el campo de batalla donde se ve la diferencia entre los valientes y cobardes.

La más grande de las tentaciones es no tenerlas nunca. Casi se puede decir que somos felices de tenerlas: es el momento de la cosecha espiritual donde atesoramos para el cielo. Es como en tiempo de cosecha: se madruga, se pasan penalidades, pero no hay queja, porque atesoramos mucho.

El demonio sólo tienta a las almas que quieren salir del pecado y a las que están en estado de gracia. Las otras le pertenecen, no necesita tentarlas".

3.9 No había nacido con la virtud de la paciencia; la adquirió con muchos y pequeños actos de esfuerzo; si no se hubiese esforzado continuamente, habría sido un hombre brusco y violento. Le preguntaba en una ocasión el Rdo. Raymond:

– Señor Cura, ¿cómo puede estar usted tan sosegado con la impetuosidad de su carácter? A lo que el Cura de Ars le contestaba:

– ¡Ah, amigo mío!, la virtud requiere esfuerzo, contínua violencia y, sobre todo, auxilio de lo alto.

4.9 En ciertas ocasiones, cuando le fastidiaban algunas personas, quizá con mala intención, el Cura retorcía el pañuelo que acostumbraba llevar en el bolsillo; se podía observar, entonces, el tremendo esfuerzo que suponía contener su impaciencia. 'Un día, cuenta el maestro Juan Pertinand, sorprendimos, sin saberlo el Reverendo Vianney, a un niño de la parroquia cuando intentaba apoderarse de las limosnas de las misas. El alcalde fue conmigo a avisar a sus padres. La madre del ladrón en ciernes, pensan-

do que era el señor Cura quien había denuncia-
do al culpable ante las autoridades, fue al día
siguiente a la sacristía y le reprochó duramente.
Estaba yo de pie junto a la puerta, en la iglesia,
oyendo aquella lluvia de improperios.

"Tiene usted razón, se contentaba con responder el bueno del señor cura párroco, *ruegue
para que me convierta".'*

5.9 Cuenta Catalina Lassagne que, al poco
tiempo de llegar a la parroquia, fue a su
casa un hombre y le llenó de insultos. El Cura
escuchaba sin decir palabra; después, quiso
acompañarle a la puerta, y le dio un abrazo des-
pidiéndole. El sacrificio le causó tan viva impresión que a duras penas pudo subir las escaleras
a su cuarto, y tuvo que echarse en la cama. En un
momento se llenó de ronchas...

6.9 En varias ocasiones en las que alguien le
habló con dureza, vio Catalina cómo
conservaba la calma, pero su cuerpo, debido al
esfuerzo y tensión que le suponía contenerse,
en seguida quedaba preso de cierto temblor. Si
le preguntaba ella porqué temblaba, contestaba
con sencillez:

*"Cuando se ha vencido una pasión, hay que
dejar que los miembros tiemblen".*

No era más que una descarga nerviosa.

7.9 En una ocasión en la que ocurrió algo en la residencia de niños huérfanos que fundó, la Providencia, ante algo que le disgustó fuertemente, comentó:

"Si no fuese porque quiero convertirme, me enfadaría de veras".

Lo dijo con gran serenidad, comenta Juana-María Chanay.

8.9 En ocasiones en las que podía haber cincuenta personas esperando confesarse, le llamaban a la sacristía para cualquier cosa, y nunca se alteraba. Un día, por ejemplo, en poco tiempo le sacaron del confesionario tres veces para que le diese la comunión a tres personas, que fácilmente podrían haber comulgado a la vez esperándose un poco. El Cura, sin quejas ni advertencias, con buena cara, les daba de comulgar. Un testigo que estaba allí, salió de la iglesia y enfadado gritó: 'Estoy encolerizado por culpa del Cura... ¡que no se enfada nunca!'.

9.9 Eran vencimientos en cosas pequeñas, pero que, hechos un día y otro, terminaron por darle una gran virtud. Una niña que fue a pasar tres días a Ars, no dejaba de pedirle medallitas; el Cura siempre le respondía con cariño. El tercer día, al darle todavía otra medalla más, le observó con cariño:

"Pequeña, con ésta van diecisiete".

10.9 "Si nos sentimos llenos de la presencia de Dios, nos será muy fácil resistir al enemigo. Con este pensamiento: *Dios te ve,* ¡no pecaríamos nunca!

Había una santa, que se quejaba a Nuestro Señor tras la tentación y le decía: *¿Dónde estabas pues, mi Jesús tan amable, durante esta horrible tempestad?* Nuestro Señor le respondió: *Estaba en medio de tu corazón, recreándome viéndote combatir.*

Un cristiano debe estar siempre dispuesto al combate. Como en tiempo de guerra, hay siempre centinelas colocados aquí y allá, para ver si el enemigo se acerca; así es como debemos estar, prevenidos, para ver si el enemigo nos tiende trampas y viene a sorprendernos".

11.9 Comparaba a los cristianos flojos con el papel, que se deja llevar y no ofrece resistencia a cualquier viento que sopla:

"Hay algunos que son tan débiles que a la menor tentación se dejan llevar como un frágil papel".

12.9 Su lucha consistió, la mayor de las veces, en hacer lo que tenía que hacer: 'Él sabía entregarse tan bien al designio divino –se recoge en el proceso–, que en la acción tan múltiple y tan laboriosa de su ministerio, parecía tan recogido como en sus ejercicios religiosos; hubiérase dicho que nunca tenía más que una cosa que hacer: la del instante presente...".

13.9 "No hay que tener nunca miedo de hacer el bien, aunque nos cueste algo".

14.9 De las cartas que escribió, se conservan dos dirigidas a un primo suyo, religioso en el hospital de Lyon, que atravesaba una crisis de tentaciones; le anima a ser fiel:

"Mi buen amigo, trazo estas líneas a vuela pluma, para decirte que no te vayas, a pesar de todas las tentaciones que Dios permita que padezcas. ¡Ten valor! El cielo es sobradamente rico para ser tu galardón.

Considera que todos los males de este mundo constituyen la herencia de los buenos cristianos. Tú sufres como un martirio. Mas ¡qué dicha ser mártir de la caridad! No desperdicies tan hermosa corona.

«Bienaventurados los que sufren persecución por mi amor», nos dice Jesucristo, nuestro modelo. Adiós, mi queridísimo amigo. Persevera en este camino que tan felizmente has comenzado; y nos volveremos a ver en el cielo..." (Carta del 25 de julio).

"¡Ánimo, mi querido primo! ¡Pronto veremos este hermoso cielo, y ya no habrá más cruces para nosotros! ¡Qué divina felicidad! ¡Ver al buen Jesús que tanto nos ha amado y que nos hará dichosos!" (17 de mayo).

15.9 Era muy constante, no cedía al desánimo. Durante ocho años luchó sin cesar insistiendo en la importancia de la misa del domingo. La primera vez que habló de esto desde el púlpito, lo hizo con lágrimas –le apenaba la escasa asistencia, pues lo más frecuente era que fuesen a trabajar al campo–, y con tanta fuerza que, cincuenta años más tarde, los viejos del lugar todavía lo recordaban. Un domingo encontró a uno del pueblo que acarreaba su cosecha; avergonzado, trató de esconderse tras el carro.

"–¡Oh, amigo mío, le dijo con acento triste, ¿estás confundido de haberte cruzado conmigo?... Dios te ve todos los días; es a él a quien habéis de temer".

Con los años, venció esta batalla en Ars. Y batalló porque estaba convencido de que "la asistencia a misa es la acción más grande que podemos hacer".

16.9 La conversión de su pueblo fue 'conquistada' a Dios por su entrega. Cuenta un párroco que fue a lamentarse y quejarse de la frialdad de la gente de su pueblo: a pesar de todas sus iniciativas, no se acercaban a Dios. El Cura le contestó:

"¿Ha predicado usted? ¿Ha orado? ¿Ha ayunado? ¿Ha tomado disciplinas? ¿Ha dormido sobre duro? Mientras usted no se decida a esto, no tiene derecho a quejarse".

10
Curar las heridas:
la confesión

Desde el primer momento predica sobre la confesión. El verdadero verdugo de la felicidad de las almas es el pecado. Si es en la intimidad donde se encuentra el origen del mal de cada hombre, es ahí donde Dios quiere entrar y curar las heridas mediante la confesión y el perdón de los pecados.

Poco a poco va confesándose la gente. A partir de los ocho años de su llegada a Ars, empiezan a afluir personas de pueblos cercanos. Cuando llega a rezar a la iglesia, a la una de la madrugada, va siendo frecuente encontrar personas esperándole; acorta su oración para no hacerles esperar. Y cuando termina la Misa –a las 7.00 a.m.–, también hay gente; dedica un largo rato a dar gracias después de la Misa, tiempo durante el que no hace caso a nadie, aunque algunos le hablen o le tiren de su ropa. Después se pone de nuevo a confesar hasta las once, momento en el que pasa a la Providencia para enseñar el catecismo (más tarde la *dará en la iglesia, a causa del número de los que le quieren escuchar).*

Durante muchos años, hasta 1859 en que muere, dedica de once a dieciocho horas al día a confesar: durante más de 30 años mantuvo este horario.

* * *

'El Buen Dios me ha hecho ver cuánto le gusta que yo rece por los pobres pecadores', dirá. 'Más se apresura el Buen Dios a perdonar a un pecador arrepentido que una madre a retirar a su hijo del fuego'. El cura de Ars está dispuesto a lo que sea por ayudar a un pecador.

Es bueno pensar en su capacidad para mirar a cada persona: veía un alma, un hijo del Buen Dios que podría gozar del Buen Dios —a la vez que el Buen Dios podría gozar de su hijo—, veía alguien por quien valdría la pena incluso morir.

LO QUE DIJO E HIZO

1.10 "Hijos míos, no podemos comprender la bondad que Dios ha tenido con nosotros al instituir este gran sacramento de la penitencia.

Si dijéramos a estos pobres condenados que están en el infierno desde hace tiempo: *Vamos a poner un sacerdote a la puerta del infierno. Todos los que quieran confesarse no tienen más que salir;* hijos míos, ¿creéis que allí quedaría alguno? Los más culpables no temerían decir sus pecados, e incluso decirlos delante de todo el mundo. ¡Oh! ¡El infierno quedaría rápidamente vacío y el cielo se llenaría! Pues bien... ¡tenemos el tiempo y los medios que estos pobres condenados no tienen!

Hijos míos, desde el momento en el que se tiene una mancha en el alma, hay que hacer como la persona que tiene una bola de cristal que guarda cuidadosamente. Si esta bola tiene un poco de polvo y la persona se da cuenta, rápidamente pasa una esponja y la bola se vuelve clara y brillante".

2.10 Enseñaba e insistía en la importancia del propósito de la enmienda:

"Es bonito pensar que tenemos un sacramento que cura las heridas de nuestra alma. Pero hay que recibirlo con buenas disposiciones, porque si no, aumenta el número de heridas.

Imagináos un hombre lleno de heridas, que acude al hospital: el médico le atiende y le cura; pero él, al salir, toma un cuchillo y comienza a clavárselo en todas las partes del cuerpo, haciéndose mucho más daño que antes. ¿Qué pensaríais de un hombre que actuara de esa manera? Pues bien, eso es lo que hacéis a menudo cuando tras salir del confesionario, volvéis a caer en los mismos pecados".

3.10 Aunque el propósito de la enmienda sea firme, volveremos a pecar.

"El Buen Dios lo sabe todo. Sabe de antemano que después de confesaros pecaréis de nuevo y, sin embargo, os perdona. ¡Qué amor el de nuestro Dios, que llega a olvidar voluntariamente el futuro para perdonarnos!"

4.10 Como siempre ha enseñado la Iglesia, explicaba la necesidad de ser sinceros en la confesión de los propios pecados:

"Hay quienes profanan el sacramento careciendo de sinceridad. Habrán escondido pecados mortales, hace diez, veinte años. Siempre están atormentados; siempre su pecado está presente en su mente; siempre tienen el pensamiento de decirlo, y nunca lo hacen... ¡es un infierno!

Cuando habéis hecho una buena confesión, habéis encadenado al demonio.

Los pecados que escondemos reaparecerán todos. Para esconderlos bien, hay que confesarlos bien".

5.10 No quería que desaprovechásemos las ocasiones que tenemos de confesarnos:

"Si los pobres condenados tuvieran el tiempo que nosotros perdemos, qué buen uso harían de él ¡Si tuviesen sólo media hora, esta media hora vaciaría el infierno!".

6.10 Durante treinta años, muchísimos peregrinos desfilaban hacia la vieja iglesia de Ars, cuyas baldosas, bajo las plantas de los visitantes, se fueron gastando. Y les ponía el ejemplo del candil:

"Habéis visto mi candil esta noche. Esta mañana dejó de lucir. ¿Dónde está? Ya no existe, ha quedado reducido a nada. Del mismo modo, los pecados absueltos ya no existen, son reducidos a nada".

7.10 "Para recibir el sacramento de la penitencia son necesarias tres cosas. La fe, que nos revela a Dios presente en el sacerdote. La esperanza, que nos hace confiar en que Dios nos otorgará la gracia del perdón. La caridad, que nos lleva a amar a Dios y que inculca en nuestro corazón el dolor de haberle ofendido".

8.10 'Por larga que fuese la espera para encontrar sitio en la iglesia, los penitentes, salvo rarísimas excepciones, no se desalentaban. Querían a toda costa oír al Santo, y, para la mayor parte, el objeto principal, si no el único, de su viaje, era hablarle íntimamente en el confesionario.

Entonces comenzaba una nueva espera. Hay que tener en cuenta que 'el Cura de Ars no empleaba en cada confesión sino el tiempo estrictamente necesario', que confesaba durante dieciséis y hasta dieciocho horas en los días largos y que, a pesar de esto, la generalidad de los peregrinos, sobre todo los diez últimos años de su vida, tenían que aguardar por espacio de treinta, cincuenta y sesenta horas, antes de poder llegar al feliz tribunal. 'Acontecía que algunos se hacían reservar el turno por los pobres'. Pero no todos tenían medios para hacerlo y permanecían en la iglesia, que era una estufa en verano y una nevera en invierno. Las personas que deseaban salir sin perder el sitio se arreglaban con los vecinos o con los guardianes del templo. Cuando llegaba la noche, era menester salir, pues se cerraba la iglesia. Entonces se contaban para no perder el turno, y salían fuera o pasaban en el vestíbulo, junto al campanario, las horas que mediaban entre el acostarse y el levantarse del Cura de Ars.'

Quería que aprovechasen el tiempo de espera:

"Hay que dedicar más tiempo a pedir la contrición que a examinarse de los pecados",

enseñaba. Por eso hizo construir la capilla con el Ecce Homo, una imagen de Cristo azo-

tado y coronado de espinas, donde se prepara-
ban para la confesión.

9.10 "Sé muy bien que la acusación que
hacéis os exige un momento de humillación... Pero bueno, ¿es verdaderamente humi-
llante acusar los propios pecados? El sacerdote
sabe ya más o menos lo que podéis haber hecho".

10.10 "El Buen Dios, en el momento de la
absolución, tira nuestros pecados
por encima del hombro; es decir, los olvida, los
reduce a nada, no volverán a aparecer jamás".

11.10 "La gracia tiene su momento",
le gustaba decir. Y por eso aprovechaba las ocasiones, pues sabía que otro momento como el que se le presentaba podría no volver a darse para esa persona. Con gran respeto
y cariño, cogía las personas al vuelo. Hacia el año
1853, un alegre grupo de lioneses se dirigía a Ars.
Todos eran buenos cristianos, excepto uno; un
viejo, que se había puesto en camino, para com-
placer «a la juventud». Llegan al pueblo a las tres
de la tarde. Id a la iglesia, si queréis, dice nuestro
incrédulo al bajar del coche; yo voy a encargar la
comida. Se aleja un poco, se detiene, y ¡Bah!, se
dice, después de reflexionar un momento, iré
con vosotros; no será cosa larga. Todos entran en

la iglesia. En aquel momento, el Cura de Ars sale de la sacristía y pasa por el coro. Se arrodilla, se levanta, se vuelve hacia atrás; dirige su mirada a la pila del agua bendita, como si buscase a alguno, y llama con un ademán. Es a usted a quien llama, dicen al incrédulo, atónito. Éste, cuenta la religiosa a quien debemos este relato, se dirige hacia él lleno de embarazo y todos nos reímos interiormente. El señor Cura le aprieta la mano y le dice:

– ¿Hace mucho tiempo que usted no se ha confesado?

– Señor Cura, hace cosa de unos treinta años.

– ¡Treinta años, amigo mío! Reflexione usted bien... ¡Hace treinta y tres!

– Tiene usted razón, señor Cura.

– Entonces, confesémonos enseguida, ¿no es verdad?

El viejo, nuestro compañero, manifestó que se había sentido tan cortado ante esta invitación, que no había osado replicar; pero añadió: Noté enseguida en mí un bienestar indecible. La confesión duró veinte minutos y me dejó cambiado'.

12.10 'Fue muy curiosa la manera cómo conquistó a otro pecador. Hacia 1840, un individuo llamado Rochette, que tenía un niño enfermo, lo llevó al taumaturgo de Ars.

Su mujer le acompañaba. Ella confesó y comulgó, mas Rochette no pretendía sino la curación de su hijo. Hizo varias visitas a la iglesia, pero no entró más allá de la pila del agua bendita. Estaba allí parado, cuando el Santo, asomando por detrás del altar, donde confesaba a los sacerdotes, comenzó a llamarle. Él no se movió. Su mujer y su hijo estaban junto al comulgatorio.

"¿Tan incrédulo es?",

preguntó el Cura de Ars a la madre. Finalmente, a una tercera señal, el hombre se decidió a subir. Después de todo, pensaba, el Cura de Ars no me comerá. Y pasó con él a la parte posterior del altar. El Rdo. Vianney creyó que no era del caso perder tiempo. Estamos aquí los dos solos, señor Rochette, dijo, y mostrándole el confesionario añadió:

– Métase usted allá.

– ¡Oh, no tengo muchas ganas! –replicó el otro–.

– ¡Vamos a ver!

Impotente para resistir a un ataque tan inesperado, Rochette cayó de rodillas.

– Padre mío –comenzó balbuceando–, hace ya bastante tiempo que... unos diez años...

– Ponga usted algo más.

– Doce años...

– Algo más todavía.

– Sí, desde el jubileo de 1826.
¡Esto es! A fuerza de buscar se encuentra.'

13.10 "No me encuentro bien, decía con humor, sino cuando ruego por los pecadores".

14.10 Cada confesión era asistir a una intimidad que se abre a Dios. A veces lloraba al ver las almas dañadas, rotas, manchadas. No pensaba sino en los dolores ajenos, en el dolor de aquel que allí estaba y en el dolor de su Padre Dios. Siempre escuchaba. 'Los consolaba con una ternura del todo sacerdotal', escribe la condesa des Garets; 'en ocasiones sus propias lágrimas eran toda su exhortación'. Otro testigo declara: 'Se le caían las lágrimas como si estuviera llorando sus propios pecados'. Y a un penitente sorprendido por verle llorar, le dice:

– 'Lloro por lo que usted no llora'.

15.10 'En el fondo, refiere Juana-María Chanay, le impresionaban poco las curaciones milagrosas.

"¡El cuerpo es tan poca cosa!",

repetía. Lo que de verdad le llenaba de gozo era la vuelta de las almas a Dios. Y en esto, ¡cuántas ocasiones tuvo para alegrarse! Le pregunté un día, cuenta el señor Próspero des

Garets, por el número de los pecadores que había convertido durante un año. –Más de setecientos, me respondió'.

16.10 Cuando confesaba horas seguidas, le animaban a que descansase un rato. Siempre se resistió:

"¡Qué mal estaría hacer esperar a estas pobres gentes que vienen de tan lejos, y pasan las noches esperando turno para confesarse! Sería necesario que Dios me concediese la facultad que otorgó a ciertos santos de poder estar a la vez en muchas partes... Si ya tuviese un pie en el Cielo y me dijesen que volviese a la tierra para trabajar en la conversión de un pecador, con gusto volvería. Y si para esto fuere menester estar aquí hasta el fin del mundo, levantarme a media noche y sufrir lo que ahora sufro, aceptaría de todo corazón".

17.10 A los 57 años tuvo una enfermedad muy grave, con la que estuvo a punto de morir. Los médicos dijeron que se curó de una forma maravillosa. Él decía: –Mejor que digáis 'de una forma milagrosa'. La convalecencia fue larga, y mientras tanto no pudo confesar. Cada vez que iba a la iglesia lanzaba hacia el confesionario una mirada ansiosa, y su más vivo deseo era el de recobrar pronto sus energías para poder 'servir' de nuevo a aquellas

almas. Su única ambición y plan era servir, servir y servir. Vivía para servir. El confesionario era su esclavitud, pero al mismo tiempo era el lugar donde mejor podía conquistar hijos para el Buen Dios.

18.10 'Un joven de familia noble llegó de Marsella; quería confesarse con el Cura de Ars. Pero antes se encontró con el director de la escuela, el hermano Atanasio, a quien le hizo varias preguntas sobre la vida del Santo cura: ¿Quiere usted decirme, Hermano, a qué familia pertenece el Rdo. Vianney, dónde ha hecho sus estudios, en qué medio social ha vivido, qué cargos desempeñó antes de ser destinado a Ars? El Hermano Atanasio le contó que el Rdo. Vianney provenía de una familia muy pobre, que casi no tenía estudios, etc. Y el joven se quedaba maravillado con cada una de sus respuestas.

Y el hermano Atanasio le pregunta: ¿Por qué me pregunta usted eso? A lo que el joven caballero contesta: Porque me ha encantado la exquisita finura con que me ha recibido. Al entrar en la sacristía, me saludó muy amablemente; me colocó en el reclinatorio, y no se sentó sino después. Terminada la confesión, fue el primero en levantarse, me abrió la puerta, me saludó, y, siempre con aquella finísima cortesía, introdujo al penitente que seguía.

El Hermano Atanasio le explicó que el Cura de Ars trataba igual a todo el mundo. –'Ya entiendo. Es un Santo. Posee la verdadera caridad, que es la fuente de la verdadera educación'.'

19.10 'En el año 1845 el Rdo. Luis Blau fue destinado a Jassans como nuevo párroco del pueblo. Y como este lugar era muy cercano a Ars decidió un día ir a visitar a su amigo, el Rdo. Vianney. Como en esos momentos el Cura de Ars no estaba en el pueblo ya que había salido unas horas antes, fue recibido por su coadjutor, quien lo invitó a desayunar. Cuando ya habían terminado apareció el Rdo. Vianney, quien con mucha alegría estrechó la mano y abrazó al nuevo párroco de Jassans. Después fueron a su habitación. Una vez allí, el Cura de Ars le dijo con dulce familiaridad al Rdo. Blau:

"Compañero mío, su predecesor tenía la caridad de oírme en confesión. Usted me prestará el mismo servicio, ¿no es verdad?".

En esos momentos de su vida el Santo cura tenía cincuenta y nueve años y el Rdo. Blau solo tenía treinta y siete, y de pronto se había convertido en el Director Espiritual de un Santo. Iba a negarse, pero el Cura de Ars prohibió toda queja y le enseñó el camino al confesionario, donde se puso de rodillas y empezó a confesarse.'

Vista aerea actual

① Iglesia ② Basílica construida tras su muerte ③ Casa del cura
④ Patio interior de la casa del Cura ⑤ La Providencia
⑥ Edificio habilitado como fonda en tiempos del Cura.

11
Sufrir amando:
sacrificio y cruz

El *Cura de Ars era alegre, hacía bromas, tenía buen humor. "Siempre estaba muy alegre —declara Juan María Chanay— y, en su conversación, le agradaba intercalar algunas palabras graciosas. Acostumbraba a responder con profunda espiritualidad". Pero el secreto de su profunda y estable alegría estaba en que siempre amaba, y amaba bien: 'El Buen Dios es la alegría de los que le aman', decía por experiencia propia.*

A nadie se le escapa que en la vida, en la vida de cada hombre, siempre hay motivos de sufrimiento; de un tipo o de otro, pero sufrimiento. Él los tuvo, como todos; y, además, buscó otros libremente.

* * *

Juan María Vianney ve el sufrimiento como una excelente ocasión de seguir a Jesús, de sufrir como sufrió Cristo para salvar a los hombres. Quería salvar almas, con Cristo, cogiendo su cruz de cada día.

Sufrir no es libre: lo que es libre es sufrir amando, o sufrir huyendo, quejándose. Quiso sufrir amando, quiso amar sufriendo.

LO QUE DIJO E HIZO

1.11 "Se quiera o no, hay que sufrir. Hay quienes sufren como el buen ladrón y otros como el malo. Los dos sufrían paralelamente. Pero uno supo volver sus sufrimientos meritorios; el otro expiró en la desesperación más horrible.

Hay dos maneras de sufrir: sufrir amando y sufrir sin amar. Los santos sufrían todo con paciencia, alegría y perseverancia, porque amaban. Nosotros sufriremos con cólera, pesar y cansancio, porque no amamos; si amásemos a Dios, estaríamos felices de poder sufrir por el amor de quien ha querido sufrir por nosotros".

2.11 "En el camino de la cruz, sólo cuesta el primer paso. Nuestra mayor cruz es el temor de la cruz".

3.11 "Cuando rechazamos la cruz, nos equivocamos; porque hagamos lo que hagamos, la cruz siempre está presente y no podemos escapar de ella.

¿Qué tenemos que perder? ¿Por qué no amar nuestras cruces, y servirnos de ellas para ir al cielo? Y, sin embargo, la mayor parte de los hombres dan la espalda a las cruces y huyen ante ellas. Cuanto más corren, cuanto más la rechazan, la cruz se hace más presente, y más les golpea y les aplasta con su peso".

4.11 "Si el Buen Dios nos envía cruces, nos hartamos, nos quejamos, murmuramos; somos tan enemigos de todo lo que nos contraría, que nos gustaría estar siempre en una caja entre algodones... cuando, en realidad, lo que necesitamos es que nos metan en una caja entre espinas.

La cruz es el camino para ir al cielo. Las enfermedades, las tentaciones, las penas, son manifestaciones de esa cruz que nos lleva al cielo. Pero todo esto pasará rápido. Mirad a los santos que ya están allí... El Buen Dios no nos pide el martirio del cuerpo, nos pide el martirio del corazón y de la voluntad.

Nuestro Señor es nuestro modelo. Tomemos nuestra cruz y sigámosle. Hagamos como los soldados de Napoleón. Había que atravesar un puente sobre el que disparaban las metralletas; nadie se atrevía a atravesarlo. Napoleón cogió la bandera y salió el primero. Hagamos lo mismo; sigamos a Nuestro Señor, que ha salido el primero...".

5.11 "La cruz es la escalera del cielo. Es un consuelo sufrir bajo los ojos de Dios, y poder decir, por la noche, en nuestro examen de conciencia: *"Vamos ¡alma mía, has tenido hoy dos o tres horas de parecido con Jesucristo!: has sido flagelada, coronada de espinas, crucificada con él".* ¡Oh! ¡qué tesoro para la muerte! ¡Qué bien sienta morir cuando se ha vivido en la cruz!".

6.11 'En la antigua casa parroquial de Ars se conservan, y pueden verse todavía, las disciplinas y el cilicio del Cura de Ars, pero su principal instrumento de mortificación no está ahí. Lo han dejado en la Iglesia, pues era el confesionario. Durante largo tiempo del día permanecía sentado en el confesionario, prisionero de los pecadores. De ahí que sufriese una serie de hernias muy dolorosas'.

'Comentaba en una ocasión el señor Camilo Monnin: Nunca se sentaba en las visitas. Sin duda que era por deferencia a las personas que recibía, pero también a causa de las hernias que sufría y que había contraído permaneciendo tantas horas sentado en el confesionario'.

7.11 'El calor que tuvo que soportar el Santo Cura de Ars en el confesionario le daba una idea de lo que era el infierno. Algunas veces tenía que confesar con una banda apretada en la frente. En los días de tempestad o de fuerte calor, el aire estaba tan viciado en el estrecho confesionario de la Iglesia que el Cura de Ars sentía náuseas y, para superarlas, tenía que respirar un frasco de vinagre o de agua de colonia. Por el contrario, en invierno, en aquella parte de la región de Dombes, hiela hasta hendir las piedras. Cuenta el Rdo. Dubouis que muchas veces, el siervo de Dios se desmayaba en el confesionario a causa del frío y de su debilidad. Le preguntó éste una vez: ¿Cómo puede usted estar tantas horas así, y en un tiempo tan crudo, sin nada para calentarse los pies? Y el Cura de Ars le contestó: ¡Ah, amigo mío!, es por una razón muy sencilla: desde Todos los Santos hasta Pascua, no siento que tenga pies'.

8.11 "Si alguien le dijera: *Me gustaría ser rico. ¿Qué hay que hacer?* Usted le respondería: *Hay que trabajar.* Pues para ir al cielo hay que sufrir.

¡Sufrir! ¿Qué más da? Sólo es un momento. Si pudiésemos pasar ocho días en el cielo, comprenderíamos lo que vale este momento de sufrimiento aquí en la tierra. Ninguna cruz nos parecería pesada, y ninguna prueba sería amarga".

9.11 'Los sufrimientos que padecía el Cura de Ars todos los días en el confesionario, al estar tantas horas, eran increíbles y hubieran bastado para que alcanzara un grado muy alto de santidad. Pero siempre tuvo una sed insaciable de penitencia. Por lo que se impuso una serie de sacrificios muy costosos: No oler jamás una flor, no comer fruta, no beber una gota de agua en días calurosos, no espantar a las moscas que durante sus largas horas en el confesionario se posaban en su frente, y una serie de sacrificios más que demostraban el grado de santidad del que gozaba este Santo'.

10.11 "¡Cuánto amo las pequeñas mortificaciones que nadie ve!: como levantarse un cuarto de hora más pronto, levantarse un momentito para rezar por la noche; pero hay personas que sólo piensan en dormir.

Podemos privarnos de calentarnos; si estamos mal sentados, no buscar colocarnos mejor; si paseamos en el jardín, privarnos de algunas frutas que nos agradarían; al hacer la limpieza en la cocina, no picotear; privarse de mirar algo bonito que atrae la mirada, en las calles de las grandes ciudades sobre todo. Cuando vamos por la calle, fijemos la mirada en Nuestro Señor llevando su cruz ante nosotros, en la Santa Virgen que nos mira, en nuestro ángel de la guarda que está a nuestro lado".

11.11 Desde joven había hecho estas pequeñas mortificaciones. No le gustaba nada la sopa. Su tía recuerda cómo se terminaba la sopa, e incluso repetía plato, sin protestar y sin poder evitar el gesto de desagrado –como si cada sorbo se le atragantase–.

Mortificaciones que nadie ve, también en la curiosidad. Dos compañeros del seminario cuentan que 'desde nuestra habitación, no había que andar más que dos pasos para ver desfilar un regimiento suizo que estaba al servicio de Francia y oir su excelente banda de música. Muchos se dejaban vencer por la curiosidad'. A Juan María nunca le vieron. ¿Era malo mirar? No, en absoluto. Pero también era una ocasión de hacer una pequeña mortificación. Juan María eligió esto segundo: le servía para lograr los ideales que se había marcado.

Estos sacrificios, pequeños y buscados libremente, son los que le fueron dando una fortaleza que más tarde le posibilitó recibir los sufrimientos que le llegaban, aceptándolos con amor.

12.11 Sacrificar, por amor, la propia voluntad. Pasó varios años preparándose para entrar en el seminario en casa del sacerdote de Dardilly. Refiriéndose a esos años, comentó en alguna ocasión:

"En casa de mosén Balley, jamás hice mi voluntad".

Y en su predicación quería enseñar a vivir así, pues por experiencia sabía que es el mejor camino para la felicidad: el secreto está en vivir para servir, para dar, para amar.

"Una cosa muy buena que podemos hacer siempre es renunciar a nuestra propia voluntad. La vida de un pobre sirviente, que la única voluntad que tiene es la de sus dueños, si sabe sacar provecho de esta renuncia, puede ser tan agradable a Dios como la de una religiosa que respeta siempre las normas de su convento.

En nuestra vida normal siempre encontramos ocasiones de renunciar a nuestra voluntad: privarnos de una visita que nos agrada, hacer una obra de caridad que cuesta, acostarnos dos minutos más tarde, levantarnos dos minutos más pronto; cuando tenemos dos cosas que hacer, comenzar por la que menos nos agrada...".

13.11 "Si amáramos a Dios, amaríamos las cruces, las desearíamos, estaríamos a gusto con ellas. Estaríamos contentos de poder sufrir por el amor de quien ha querido sufrir por nosotros.

¿Os parece que esto es duro? No; es dulce, suave, consolador: ¡es la felicidad! Sólo hay que amar sufriendo, hay que sufrir amando.
¡Sí! ¡Qué gran dulzura sienten las almas que están unidas a Dios en el sufrimiento! Es como el vina-

gre al que se le pone mucho aceite: el vinagre es siempre vinagre, pero el aceite corrige la amargura, y a penas se siente.

Los más felices en este mundo son los que tienen el alma en calma: en medio de las penas de la vida, prueban la alegría de los hijos de Dios.

Todas las penas son dulces cuando se sufre en unión de Nuestro Señor".

14.11 Sufrir amando quiere decir, entre otras cosas, sufrir pensando en el bien que ese sufrimiento supone para la persona a quien se ama. Así lo decía:

"No hay que fijarse sólo en el esfuerzo, sino en la recompensa. Un comerciante no tiene en cuenta la dureza de su trabajo, sino la ganancia".

15.11 "Poned un buen racimo de uvas bajo el exprimidor: saldrá un zumo delicioso. Nuestra alma, bajo el exprimidor de la cruz, produce un zumo que la alimenta y la fortifica.

Cuando no tenemos cruz, somos áridos: si las llevamos con resignación, sentimos una dulzura, una felicidad, una suavidad... que es el comienzo del cielo.

Las espinas desprenden el bálsamo, y la cruz transpira la felicidad.

Pero hay que exprimir las espinas en las manos y apretar la cruz contra el corazón para que destilen el jugo que contienen.

Las contradicciones nos ponen al pie de la cruz, y la cruz a la puerta del cielo".

16.11 Pero a la vez no era amigo de una especie del 'más difícil todavía', como si ser santo fuese hacer cada vez cosas más raras.

"Se entiende mal la religión. Supongamos, hijos míos, una persona que ha de ir a su trabajo cotidiano. Esta persona siente deseos de hacer grandes penitencias y de pasar la mitad de la noche en oración. Si está bien formada, dirá: *No, no hay que hacer esto, porque mañana no podré cumplir con mis deberes: tendré sueño y la menor cosa me impacientará; estaré durante todo el día de mal humor; no haré la mitad del trabajo que haría si hubiese descansado toda la noche...* Una persona formada tiene siempre dos guías: pedir consejo y obedecer".

17.11 Aunque él se exigía de un modo grande en las mortificaciones, lo hacía porque ese era su camino; pero no es lo que deben hacer todos. 'El señor Cura, dice Catalina Lassagne, no quería que una madre de familia dejase el cuidado de su casa para ir a la

iglesia cuando no era de obligación... Un día, al comenzar la cuaresma, me dijo que no ayunase.

— *Pero, señor Cura,* le repliqué, *¿cómo es que ayuna usted?*

— *Es verdad,* me respondió; *pero yo, a pesar de los ayunos, puedo cumplir con mi deber: tú, en cambio, no podrías.*

18.11 Recomendaba pedir consejo y obedecer: es el modo de descubrir la verdadera cruz de cada uno. Un sacerdote le preguntó si debía dejar el cargo que ocupaba —era profesor en un seminario— e ingresar como religioso, pues desde hacía años tenía deseos de una vida más exigente como religioso.

"—¡Calma, amigo mío!, le contestó. *Quédese donde está. Tenga en cuenta que Dios envía a veces buenos deseos, pero cuya realización en esta vida no nos exigirá nunca".*

19.11 "La cruz es la escalera para el cielo. La cruz es la llave que abre la puerta del cielo.

La cruz es la lámpara que ilumina el cielo y la tierra".

20.11 Desde el día en que llegó a Ars, a la oración juntó la penitencia. Su colchón, por ejemplo, se lo regaló a unos pobres, y a partir de ese día él empezó a dormir en la planta baja. Debido a la humedad de las paredes y suelo de esta habitación, el Rdo. Vianney contrajo una neuralgia facial que le duró quince años. Una vez contraída la enfermedad, en lugar de empezar a dormir otra vez en una cama, empezó a dormir en el granero. No hacía ascos al dolor, sino todo lo contrario:

"Nosotros nos quejamos de nuestros sufrimientos; sería más razonable que nos quejáramos de no tenerlos, ya que nada nos hace más semejantes a Nuestro Señor".

21.11 Durante los primeros años, el cura de Ars «vivía casi solo, dueño absoluto de sí mismo». El Rdo. Vianney aprovechó esta circunstancia para hacer grandes mortificaciones: había épocas en las que durante algunos días no probaba bocado; hubo una Semana Santa en la que solo comió dos días. Pronto comenzó a prescindir de toda provisión y «jamás se preocupó del día siguiente».

Renard, una viuda que se encargaba de atender al Rdo. Vianney, le llevaba pan fresco, pero éste no lo aceptaba y lo repartía entre los pobres.

La señora Renard le preparaba la comida y él se la comía cuando tenía tiempo. Más de una vez el Rdo. Vianney le decía: No vuelva hasta tal fecha —y se trataba de un plazo de muchos días—. A veces, a pesar de estas órdenes, la cocinera intentaba que le dejara volver, pero él no cedía. Lo mismo sucedió a otras personas, una de las cuales exclamaba: ¡Ah, qué difícil es servir a un santo!

Algunas veces, el Rdo. Vianney cocía por sí mismo unas patatas y se las iba tomando durante la semana, aunque se quedaran frías y con moho.

22.11 Los sufrimientos más dolorosos que padece el hombre son los sufrimientos morales. Algunos individuos perversos, ajenos a la parroquia, y algunos jóvenes de Ars, enfadados por la guerra que dio el Cura contra los bailes y contra la bebida, la emprendieron contra el párroco e intentaron hacerle la vida imposible. Tuvieron la audacia de atribuir su palidez y su flaqueza, no a su cansancio y a lo poco que comía, sino a una vida ocultamente licenciosa; mezclaron el nombre Vianney en sus canciones picarescas; le escribieron cartas anónimas repletas de infames injurias; fijaron cartelones del mismo tono en la puerta de la casa parroquial y de noche hubo pintadas y serenatas de ruido con cencerros al pie de su ventana.

Parecía que ninguna humillación o sufrimiento moral había de serle perdonado. En 1823 fue restablecida la diócesis de Belley y Ars dejó de pertenecer al arzobispado de Lyon. Mons. Devie, su nuevo obispo, no le conocía. Comenzaron a llegar cartas anónimas a manos del prelado, quien creyó un deber «enviar al cura de Trevoux, deán del señor Vianney, para que hiciese una información sobre su conducta». Se ignora de qué manera se hizo, pero lo cierto es que las imputaciones calumniosas quedaron reducidas a nada.'

23.11 Estos hechos puede que fueran una de las razones por las que el cura de Ars decía al final de su vida:

"Si al llegar a Ars hubiese sabido lo que allí había de sufrir, me hubiera muerto del susto".

Y así fue, el Rdo. Vianney, desde que llegó a Ars, pasó momentos de verdadera agonía. Llegó a estar tan cansado de los falsos rumores que algunos se atrevieron a propalar sobre su fama, que quiso dejar la parroquia, y lo hubiera hecho si una persona de su intimidad no le hubiese convencido de que su partida equivalía a una tácita confirmación de las calumnias, recuerda un testigo de su vida.

24.11 Estas pruebas las veía con visión sobrenatural como una gracia.

"Las pruebas, para los que Dios ama, no son castigos, son gracias.

¿Qué son veinte o treinta años comparados con la eternidad? ¿Tanto tenemos que sufrir? Algunas humillaciones, algunos escalofríos, palabras molestas: eso no mata.

¡Qué bien sienta morir cuando se ha vivido en la cruz!

Deberíamos correr tras la cruz como el avaro corre tras el dinero.

La cruz es el don que Dios ha dado a sus amigos.

Nunca hay que mirar de dónde vienen las cruces; vienen de Dios. Es Dios quien nos da este medio para demostrarle nuestro amor".

25.11 'Las almas santas «convierten en suavidad todas las amarguras», decía el Cura. Y cuenta un testigo de su vida: «Sé que el señor Vianney no solamente soporta con paciencia tan indignos tratos, sino que además encuentra en el sufrir un gozo sobrenatural. Más tarde llamaba a esta época el mejor tiempo de su existencia. Él hubiera deseado que el señor obispo, convencido de su culpabilidad, lo hubiese alejado de su parroquia para darle tiempo de llorar en el retiro su pobre vida». En febrero de 1843 el Rdo. Vianney contaba a algunas personas atónitas estas confidencias: «Pensaba que vendría un tiempo en que me echarían de Ars a palos, o que el señor obispo me quitara las licencias, o que acabaría mis días en una cárcel... Veo que no merezco estas gracias». Y después de saber que iba a continuar en la parroquia, decía gustosamente: Me dejan aquí como un perrito en el lazo. ¡Me conocen demasiado!'.

26.11 Aprovechaba todo para amar, para sufrir amando. No guardó ningún rencor hacia esas personas que lo maltrataron. A una de esas familias que le había hecho daño le ayudó cuando tuvo un revés económico. Uno de los chicos que le difamó, acabó ingresado en un manicomio: nunca hizo mención de ello, y trató de serle útil hasta el final.

"Si hubiera podido colmarlos de bienes lo hubiera hecho gustoso",

decía.

27.11 'A pesar de su gran fe en la Providencia, la vista de lo que él llamaba 'su profunda miseria' y las obligaciones de su cargo, le inspiraban un gran temor de los juicios divinos. Llegó al punto de sentir como tentaciones de desesperación.

"¡Dios mío! —exclamaba entre gemidos—, haced que sufra cuanto quieras, pero concédeme la gracia de que no caiga en el infierno!".

Y pasaba del temor a la esperanza y de la esperanza al temor. Se vió en aquellas terribles situaciones de espíritu «en las que el alma no recibe consolación ni de las cosas de la tierra, a las que no tiene apego, ni de las cosas del cielo, donde no vive todavía»: esas horas de cruz, en las que se cree «abandonada de Dios totalmente y para siempre». Era entonces, sobre todo, cuando deseaba huir e irse a cualquier soledad «a llorar su pobre vida».

Es verdad que la cruz que llevaba era muy dura. Pero después que comenzó a amarla, ¡qué ligera le pareció!

"Sufrir amando, decía, no es sufrir... Huir de la cruz, por el contrario, es querer ser aplastado... Hemos de pedir el amor a las cruces, entonces es cuando son dulces. Yo lo he probado durante cuatro o cinco años; he sido muy calumniado y objeto de contradicción. ¡Ah! Llevaba cruces, tal vez más de las que podía. Entonces pedí el amor a la cruz y fui dichoso; ahora me digo: verdaderamente no hay felicidad sino en eso'".

28.11 Le gustaba hacer favores; o, por lo menos, los hacía siempre, por duros que resultasen, y con alegría. 'El Rdo. Julián Ducreux, antiguo superior del seminario menor de San Juan en Lyon y cura, desde 1808, de Mizeriuex, Toussieux, Sainte-Euphémie y Saint-Didier-de-Formans, estaba agotado de cansancio.

Según parece, el Cura de Ars tenía especial amistad con el buen anciano, su vecino. Tal vez el señor Ducreux había sido amigo del muy querido y llorado señor Balley. Sea de ello lo que fuere, consta por los registros de Mizerieux que, de abril a mayo de 1820, el Cura de Ars recorrió muchas veces los tres kilómetros que separan los dos pequeños centros parroquiales para bautizar, casar o enterrar a los feligreses del señor Ducreux. Fue allí para un entierro un día que hacía un frío terrible. 'Al regresar parecía que estaba helado'. Otra vez, después de haber ejercido su ministerio en semejantes circunstancias, se metió de noche por unos caminos llenos de agua y de lodo. 'Llegó a Ars en un estado que daba compasión, pero no se quejó; al contrario, daba muestras de contento.' Eso era sufrir amando a los amigos, o bien, amar a los amigos sufriendo.

29.11 'En mayo de 1885, una mujer fue a Ars desde un lugar lejano, con la esperanza de quedar curada de su enfermedad ya que no lo había logrado con una novena. Y le dijo al coadjutor del Santo que le preguntara si quedaría sanada. He aquí la respuesta que recibió la enferma:

"Esta persona es piadosa; la cruz está muy en su sitio. Será para esta señora la escalera que la conducirá al cielo".

Más tarde, su prima Margarita Humbert fue a verle desde Ecully porque una nieta suya estaba muy enferma:

"Es un fruto maduro para el cielo", le respondió el Santo sin titubear. *"En cuanto a ti, prima mía, necesitas algunas cruces para pensar en Dios".'*

30.11 'Había momentos de su vida en que padecía tremendos dolores pero, aun así, su carácter permanecía siempre alegre y no parecía que estuviese sufriendo. Decía en una ocasión el señor Des Garets: 'Un día en que fue a nuestra casa para bendecir unas edificaciones, sufría espantosamente. Le pregunté si quería tomar algo.

"—¡Ah, señor, respondió sonriendo, sería cosa muy enojosa si siempre que uno sufre hubiese de tomar algo!"'.

31.11 'El canónigo Alejo Tailhades, de Montpellier, que permaneció viviendo con el Cura de Ars durante el verano de 1839, comenta que los pies del Santo Cura estaban tan destrozados que el talón de éstos se quedaban pegados a las medias cada vez que se quitaba los zapatos por las noches. También intentaron ponerle en el asiento de su confesionario una almohadilla llena de paja para que él se

sintiera más cómodo, pero siempre la rechazaba'.

32.11 'Un día el Cura de Ars encargó al herrero del pueblo, Juan Picard, una cadena de hierro, de cuatro o cinco centímetros de ancho y lo bastante larga para ceñirla al cuerpo. Comenta más tarde el herrero: Nunca me hubiera imaginado que la destinase a tales usos. Pensé que se trataba del reloj del campanario, entonces en reparación. Pero un día de Pascua, el señor Cura se sintió mal en la iglesia y ayudé a trasladarlo a su casa. Al desnudarle para meterle en la cama vi mi cadena alrededor de su cintura'.

33.11 "Sin la muerte de Nuestro Señor, todos los hombres juntos no podrían reparar ni la más pequeña mentira.

La señal de la Cruz es temible para el demonio, porque por ella nos escapamos de él. Es necesario hacer la señal de la Cruz con un gran respeto. Se comienza signando la frente: es la cabeza, la creación, Dios Padre; luego el corazón: el amor, la vida, la redención, Dios Hijo; y por último los hombros: la fuerza, el Espíritu Santo. Todo nos recuerda a la Cruz. Nosotros mismos hemos sido hechos en forma de cruz".

12
Somos mucho y no somos nada:
humildad

'¿**Q**ué quieren ustedes?, le escuchó el rvdo. Raymond, yo no tuve estudios; mosén Balley (el párroco de Ecully que le preparó para el seminario) se esforzó, durante cinco o seis años, en enseñarme algo. Pero perdió su latín y no pudo meterme nada en mi torpe cabeza'.

Siempre fue consciente de sus limitaciones, pero también fue siempre consciente de su misión: debía ser roca, apoyo sólido, sacerdote, párroco, instrumento de Dios para la conversión. La conclusión le resultaba evidente: yo no soy nada, soy indigno; Dios quiere lo que quiere, me ha hecho sacerdote suyo; por lo tanto, tengo que unirme a Dios por la oración, en la eucaristía, en la cruz y en los sufrimientos, para que sea Dios quien haga todo lo que quiere hacer a través de mí.

Esta humildad no la perdió nunca. Cuando llevaban los peregrinos dibujos con su retrato, con *humor decía: 'Efectivamente soy yo; fíjate qué aire de bruto tengo'. Cuando los peregrinos son muchos, hace construir una capilla dedicada a Santa Filomena, y les envía a la Santa a que le pidan lo que quieren, y a ella atribuye los dones especiales que reciben: quiere esconderse y se parapeta en esta Santa.*

* * *

Humanamente hablando, ser párroco de una aldea de 230 habitantes no es gran cosa. Pero, ante la humilde mirada sobrenatural, aquello era una gran responsabilidad: ser sacerdote..., 'tener que dar cuenta de una parroquia ante Dios... es muy duro', repetía con frecuencia.

Porque es humilde es osado, atrevido, soñador: Dios lo hará todo si estoy unido a él. Va en directo a hacer lo que es bueno hacer; no se conforma con lo lógico, con lo 'posible': Dios puede hacer lo imposible. Así vivió.

LO QUE DIJO E HIZO

1.12 "La humildad es el gran medio para amar a Dios. Es nuestro orgullo lo que nos impide ser santos.

No se concibe que una criaturita como nosotros se pueda enorgullecer de algo. Un puñado de tierra del tamaño de una nuez: en eso nos convertimos tras la muerte. No hay motivos para estar orgullosos".

Por eso consideraba que cuando nos humillan nos hacen un favor: "Los que nos humillan son nuestros amigos, y no los que nos alaban".

2.12 'Se creía muy ignorante'.

"¡Qué queréis que os diga, solía repetir, yo no tengo estudios!; el señor Balley bien se esforzó durante cinco o seis años en enseñarme alguna cosa: él perdió su latín y no logró meter nada en mi dura cabeza".

Y, exagerando de lo lindo, añadía:

"Cuando estoy con los demás sacerdotes, soy el Bardin (era éste un idiota de aquella comarca). En todas las familias, hay un hijo más torpe que sus hermanos y hermanas; pues bien, entre nosotros yo soy este hijo".

Esta desconfianza excesiva en sus propias luces le hubiera paralizado y, quizá, anulado del todo. Pero él no se apoyaba en sus cualidades, ni hacía lo que hizo por afirmarse a sí mismo, para demostrar a los demás de lo que era capaz. Era el amor de Dios y del prójimo lo que le llevaban a su acción, lo que le 'obligaba' a actuar.

3.12 ¡Cuánto tiempo solemos dedicar todos a disimular nuestras limitaciones! El

Cura de Ars se mostraba tal cual era. No quería que le siguiesen a él, sino al Buen Dios, a Jesucristo. Por eso, ¿qué más le daba parecer torpe? Tampoco quería que se formasen un alto concepto de su persona. Así, algunas veces, cuando iban a escucharle, buscaba la manera de mostrar su torpeza, temeroso de que no se tuviese de su persona una opinión demasiado favorable. *En el confesionario, dice la baronesa de Belvey, hablaba correctamente el francés (yo tuve ocasión de experimentarlo); mientras que en las explicaciones del Catecismo, dejaba escapar algunas faltas, sobre todo cuando entre el auditorio había personas de consideración.*

4.12 Le gustaba contar esta historia:

"El diablo se apareció un día a San Mauricio y le dijo:

– *Todo lo que tú haces, lo hago también yo. Tú ayunas, y yo no como nunca; tú velas, y yo jamás duermo.*

– *Una cosa hago yo que tú no puedes hacer,* le contestó San Mauricio.

– *¿Y cuál es?*

– *¡Humillarme!"*

Y añadía:

"La humildad es en las virtudes lo que la cadena en los rosarios: quitad la cadena, y todos los gra-

nos caen: quitad la humildad, y todas las virtudes desaparecen".

5.12 "La humildad es como una balanza; cuanto más nos abajamos de un lado, más subimos del otro".

6.12 "Una persona orgullosa piensa que todo lo que hace está bien hecho; quiere dominar sobre todos, siempre cree que tiene razón; ella cree que su opinión es mejor que la de los demás. Por el contrario, cuando a una perso- na humilde y santa se le pide su opinión, la da siempre con serenidad, después de haber escu- chado la de los demás. Tengan razón o no, no replicará nada.

San Luis de Gonzaga, cuando era escolar y le reprochaban algo, no buscaba nunca excusa; decía lo que pensaba, y no se preocupaba de lo que pensaban los otros. Si se equivocaba, se equi- vocaba; si tenía razón decía: *Otras muchas veces me he equivocado*".

7.12 Muchos orgullos y vanidades tienen su raíz en fijarse mucho en el cuerpo, en lo que se tiene, en las apariencias... y olvidar el alma. Por eso le gustaba contraponer cuerpo y alma, lo poco que es el cuerpo en comparación con el alma.

"Somos mucho y no somos nada. No hay nada más grande que el hombre, y nada más pequeño que él. No hay nada más grande que mirarse el alma, nada más pequeño que mirarse el cuerpo. Uno se ocupa de su cuerpo como si eso sólo fuera lo único a cuidar, cuando en realidad es algo que en ocasiones hemos de menospreciar".

8.12 El alma es para siempre; el cuerpo pasa en seguida.

"Estamos en la tierra sólo para un instante. Parece que no nos movemos y caminamos a grandes pasos hacia la eternidad, como el vapor".

9.12 Empleaba la parábola de la cesta para hacer ver lo absurdo, inútil e infructuoso de la vida del que se cree algo:

"El orgulloso se parece a aquel hombre que pretendía sacar agua del pozo en una cesta".

10.12 'Señor Cura, cuando se sabe tan poca teología como usted, no se debe uno sentar en el confesionario'.

Estas palabras leyó en una carta dirigida a él. El pobre Cura de Ars, tal vez para desahogar su preocupación, fue a confiar su pena a un feligrés que le era particularmente querido, el viejo señor Mandy, el antiguo alcalde de Ars.

– Esta carta –le contestó– viene sin duda de una persona grosera. No hay, pues, que darle importancia.

– ¡Ah, no, es de una persona instruida! Y acabó por confesar que la había escrito un sacerdote. Y añadió: Pero no me daría ninguna pena, si estuviese seguro de que Dios no ha sido ofendido por mi ignorancia.

Después se dirigió a su habitación, tomó su pluma, él que casi nunca escribía, y abrió su corazón al joven sacerdote con esta sencilla respuesta:

"Mi querido y venerado compañero: ¡Cuántos motivos tengo para amarle! Sólo usted me ha conocido bien. Puesto que es tan bueno que se digna interesar por mi pobre alma, ayúdeme a conseguir la gracia que pido desde hace tiempo, a fin de que sea relevado de mi cargo, del que no soy digno a causa de mi ignorancia, y pueda retirarme a un rincón para llorar allí mi pobre vida. ¡Cuánta penitencia he de hacer, cuántas cosas he de expiar, cuántas lágrimas he de derramar!".

11.12 Cuando hablaba de sí mismo manifestando su miseria, no lo hacía para hacerse el bueno, el humilde; hablaba sinceramente. Y la clave para entender cómo es posible nos la da él mismo cuando habla de los santos:

"Los santos se conocen a sí mismos mejor que los demás, porque son humildes".

12.12 Un buen modo de saber qué hay en un corazón es ver su reacción ante la muerte. Durante la enfermedad tan grave que padeció a los 67 años, el médico llegó a desauciarlo.

"Cuando estaba ya en lo más extremo y acababan de administrarme la Extremaunción –cuenta el Cura–, el médico me decía tomándome el pulso: *No le quedan más de treinta o cuarenta minutos de vida.* Y yo pensaba: *¡Dios mío, será menester que me presente a ti con las manos vacías!* Me dirigía a la Santísima Virgen y a Santa Filomena, y les decía: *¡Ah, si todavía puedo ser útil para la salvación de algunas almas!".*

13.12 El doctor Saunier se puso firme al imponerle un nuevo régimen de vida. Hasta su completo restablecimiento, el Cura de Ars debería hacer dos comidas al día: comer un poco de carne en la primera y beber cada vez la cuarta parte de un vaso de vino de Burdeos. El Santo, debido a la autoridad del médico y de su obispo, monseñor Devie, hubo de pasar por ello. Se lamentaba haciendo sonreír a los que con él estaban:

"¡Me he convertido en un glotón! Alcanzo menos gracias que antes. ¡No me hallo tan tranquilo cuando voy a confesar!".

Aquí se revela dónde encontraba su tranquilidad: descansaba en su oración y en su cruz.

14.12 La gran fama que obtuvo no se le subió a la cabeza. Siempre tuvo claro quién era él, y quién era el Buen Dios. Se miraba a sí mismo con sentido del humor y no demasiado en serio: se tomaba a broma a su misma persona. En su vejez, al ver un día un retrato suyo, dibujado un poco a la buena de Dios, exclamó, sonriendo: Soy yo mismo. Mirad qué pinta de bruto.

15.12 Cuando le nombraron caballero de la Legión de Honor quisieron hacerle un retrato. Se resistió, pero al final tuvo que dar el brazo a torcer. El pobre artista quedó bien decepcionado. Quieren de todas maneras, escribía el 8 de agosto la condesa des Garets, hacer el retrato del señor Cura. Él se niega y dice riéndose: 'Le aconsejo a usted que me pinte con la muceta y la cruz de la Legión de Honor, y que abajo escriba: ¡nada, orgullo!'.

Un sacerdote le bromeaba diciéndole que si las autoridades de la tierra le condecoraban, Dios no dejaría de condecorarle en el cielo. El respondió:

– Esto es lo que me da miedo, dijo el Santo con cierta seriedad: que cuando venga la muerte y me presente a Dios con estas bagatelas, me diga: Vete, ya has recibido tu recompensa.

16.12 Cuenta el Rdo. Dufour, misionero de Pont d'Ain: 'Un día un sacerdote le dirigió en mi presencia algunas palabras en extremo halagadoras. Él le miró como molesto y confundido, y exclamó: –Pero, ¡Dios mío!, ¿qué dice usted?' Cualquier tipo de alabanza a su persona le dolía sinceramente. Consideraba –sabía– que eran mentira; las alabanzas sólo se las merece verdaderamente Dios. Las alabanzas para Dios.

17.12 Era reacio a contar cosas extraordinarias referidas a él, pero alguna vez lo hizo. Un día decía a una penitente:

"Hija mía, no pida usted a Dios el conocimiento total de su miseria. Yo le pedí una vez, y lo alcancé. Si Dios no me hubiese sostenido, hubiera caído al instante en la desesperación".

La misma confianza mostró con el Hermano Atanasio:

"Quedé tan espantado al conocer mi miseria, que enseguida pedí la gracia de olvidarme de ella.

Dios me escuchó, pero me dejó la suficiente luz sobre mi nada, para que entienda que no soy capaz de cosa alguna".

18.12 En ningún momento negó el bien que hacía al pueblo del cual era párroco, pero en ningún momento olvidó que era un simple instrumento en manos de Dios, a quien daba toda la gloria. Decía un día al Hermano Atanasio:

"Soy como un cepillo en manos de Dios. ¡Oh, amigo mío! Si hubiese encontrado un sacerdote más indigno y más ignorante que yo, lo hubiera puesto en mi lugar para dar a conocer la grandeza de su misericordia para con los pecadores".

19.12 Estaba convencido de que para apuntarse uno los tantos de lo que hace Dios, es preciso empeñarse en deformar la visión de la realidad. Cuando ya era mayor, alguien le preguntó si no tenía pensamientos contra la humildad.

"No, le contestó, ésa no es mi tentación. No me empeño en convencerme de que soy yo quien hago todo esto. Es Dios... Mi tentación es la desesperación".

20.12 Un día el poeta Gascón Jasnin fue a visitarle; al despedirse le dijo: Señor Cura, nunca había visto a Dios tan cerca. A lo

que le respondió el Cura de Ars, quitándose él toda importancia:

"En efecto, Dios no está lejos".

Y le señaló hacia el sagrario. ¡Nunca perdió las referencias! ¡Nunca se puso él en el centro! ¡En el centro... siempre a Dios!

21.12 Muchas veces los hombres hablamos mal de nosotros mismos para que nos corrijan y nos alaben. No era éste el caso del Cura Vianney. Afirma la condesa des Garets: Nadie estuvo más lejos que el Rdo. Vianney de lo que él mismo solía llamar humildad de 'garabato'. Si hablaba de su ignorancia, de su miseria, de su indignidad, era naturalmente, sin ninguna afectación. (...) Si hablaba de sí como de un pobre pecador que tenía necesidad de llorar su pobre vida, lo hacía con simplicidad y con acento tan sincero, que no daba lugar a la menor duda sobre sus verdaderos sentimientos.

22.12 Un día Mons. Devie, sin darse cuenta de que estaba delante el Cura de Ars, dijo para sus adentros pero en voz alta: ¡Mi santo Cura! El Cura lo oyó, y exclamó desolado:

"¡Hasta Monseñor se equivoca acerca de mí! ¡Si seré hipócrita!".

23.12

'El superior de los hermanos de la Sagrada familia, el hermano Gabriel, escribió un folleto titulado 'el Ángel conductor de peregrinos a Ars'; le dio al Cura de Ars seis ejemplares; los aceptó y le dijo que le serían de gran provecho.'

'En el prólogo, refiere el mismo autor, tuve la mala fortuna de trazar a grandes rasgos el cuadro de su vida y de presentarle como un modelo de virtud y de santidad. Al día siguiente, por la mañana, me vio en la iglesia y me hizo seña de que le siguiera; su fisonomía revelaba una aflicción y una severidad extraordinaria. Entré con él en la sacristía. Cerró la puerta, y con decisión y derramando abundantes lágrimas, me dijo:

— Amigo mío, no lo creía capaz de escribir un libro malo.

— ¡Oh, Señor Cura!

— ¡Es un libro malo, un libro malo! ¿Cuánto le ha costado a usted? Quiero pagarle enseguida su valor y después iremos a quemarlo. Estupefacto, le preguntaba yo dónde estaba la maldad del libro.

— Sí, sí. ¡Es un libro malo, es un libro malo!

— ¡Pero, dígame, si quiere, por qué es malo!

— Pues bien, por esto, ya que usted se empeña: porqué habla de mí como de un hombre virtuoso, como de un Santo, siendo así que soy el último de los sacerdotes.

– Sin embargo, Señor Cura, he mostrado el libro a hombres ilustrados; el señor Obispo ha revisado las pruebas y lo ha aprobado. No puede en modo alguno ser malo.

Las lágrimas del Cura de Ars iban aumentando.

– Quite usted, me dijo, todo lo que a mi se refiere y será un buen libro.

Al regresar a Balley conté este incidente a Mons. Devie. '¡Qué lección de humildad nos da este santo Sacerdote!, me respondió su Excelencia. No, no quite nada de este libro: yo se lo prohibo.' Seguí su consejo, pero el Cura de Ars no puso jamás su firma en ninguno de mis libros, siendo así que era condescendiente en ponerla al pie de las obras y objetos de piedad que le presentaban'.

24.12 Cuando veía por el pueblo retratos suyos, a veces comentaba:

"–En fin, si este pobre carnaval –refiriéndose a su cuerpo– *sirve para recordar los consejos que he dado, no será del todo inútil".*

Sin embargo, para demostrar el desprecio que sentía por ellos, se negó siempre a firmar y a bendecir tales retratos. Si entre las estampas que le presentaban encontraba alguno, lo separaba con un ademán brusco.

Hacía comentarios como éste:
"Eso no sirve sino tres días al año",

refiriéndose a los tres días destinados a las máscaras, a carnavales. Como se ve, acabó por tomarlo a broma. 'Un día que hablaba con mi marido junto a la iglesia, refiere la señora des Garets, lo acompañó a los escaparates de las tiendas para mostrarle lo que él llamaba su carnaval. A este propósito, tuvo las ocurrencias más felices que pueden imaginarse.

"– ¡Pues qué, me cuelgas y me vendes!",

decía riendo a un joven vendedor, que había establecido su puesto junto al cementerio.

"Han hecho de mí un nuevo retrato. Esta vez sí que soy yo, ¡tengo aspecto de bruto y cara de ganso!".

Al ver una de tantas caricaturas, más grotesca y más colorada que las demás, decía, con mucha gracia:

"– Miren ustedes, ¿no dirían que salgo de la taberna?".'

25.12 "No hay nada que ofenda tanto al Buen Dios como la falta de esperanza en su misericordia. Es nuestro orgullo el que nos impide avanzar hasta la santidad.

Las tentaciones más temibles, que llevan a la perdición más almas de las que pensamos, son los pequeños pensamientos de amor propio, los pensamientos de estima de nosotros mismos, los pequeños aplausos de autosatisfacción por todo lo que hacemos, por lo que se dice de nosotros".

26.12 "Hay personas que, con un aspecto externo de personas piadosas, se ofenden por la mínima injuria, por la más pequeña calumnia.

Rezando el 'Confiteor', el 'Yo confieso ante Dios', se acusan a sí mismos diciendo: *Por mi culpa, por mi culpa, por mi gran culpa.* Dos minutos más tarde se excusan y acusan a los otros.

Estos cristianos de 'fachada' no están dispuestos a aguantar nada. Todo les molesta, responden a las malas palabras con malas palabras".

27.12 "El envidioso siempre quiere subir, destacar, estar por encima; el santo siempre quiere bajar, pasar desapercibido. De esta forma, el envidioso siempre baja y el santo siempre sube. La puerta del cielo está siempre cerrada al odio. El signo distintivo de los elegidos es el amor, de la misma forma que el signo distintivo del los rechazados es el odio. La cólera, los enfados, quitan la paz y el reposo a las familias. Siembra a manos llenas la división, las enemistades, los odios".

13
Conservar la inocencia:
la pureza

"**E**l señor Cura era tan humilde, dice Catalina Lassagne, estaba tan aniquilado a sus propios ojos, que el Espíritu Santo se complacía en llenar aquel vacío de sí mismo con una admirable abundancia de luces". Y una luz constante que está en la base de todo su actuar es: lo grande y valioso que es cada persona, cada alma; Dios quiere vivir en cada uno. Lo peor de este mundo es el pecado, cada acto libre en el que el yo más íntimo —en la conciencia— rechazamos a Dios. Cada acto, cada elección es importante: en cada una aceptamos o rechazamos a Dios. Por eso, cuando confesaba el Cura, con mucha frecuencia se le escapaba al escuchar cada pecado: '¡qué lástima!'. En el alma pura vive Dios; ¡qué lástima ensuciarla! ¡Qué lástima incapacitarla para que allí viva Dios!

LO QUE DIJO E HIZO

1.13 "La pureza viene del cielo; hay que pedírsela a Dios. Si la pedimos, la obtendremos. ¡No hay nada más bello que un alma pura! Si lo entendiésemos, no podríamos perder la pureza. El alma pura está desprendida de la materia, de las cosas de la tierra y de ella misma.

Hay que tener cuidado de la pérdida. Hay que cerrar nuestro corazón al orgullo, a la sensualidad y a todas las otras pasiones, como cuando se cierran las puertas y las ventanas y nadie puede entrar".

2.13 "Qué alegría para el ángel de la guarda encargado de conducir un alma pura. ¡Hijos míos, cuando un alma es pura, todo el cielo la mira con amor!

Las almas puras formarán el círculo alrededor de Nuestro Señor. Cuanto más puros hayamos sido sobre la tierra, más cerca de él estaremos en el cielo".

3.13 Un día de otoño de 1852, Dorel, un joven con buena pinta de 32 años, es invitado a Ars por un amigo suyo que quiere confesarse.

– Haz lo que quieras, le contesta. Yo iré contigo, pero llevaré mi escopeta y mi perro... Y, después de haber visto al 'maravilloso' cura, me iré a cazar patos...

Cuando entran en el pueblo se cruzan con el Cura, que anda con la lentitud de sus 66 años. Al pasar por delante de Dorel, le mira a él y a su perro y le dice:

– Oiga, señor, sería de desear que su alma fuese tan hermosa como su perro.

Aquello le golpeó interiormente. Su perro era como tenía que ser: ágil, fiel, bonito... Sin embargo su alma... Se confesó, y cambió de vida. Murió santamente 36 años más tarde como trapense.

4.13 "Hijos, no podemos comprender el poder que un alma limpia tiene sobre el Buen Dios: ella obtiene de él todo lo que quiere. Un alma pura está junto a Dios como un niño junto a su madre: la acaricia, la abraza, y su madre le devuelve sus caricias y sus abrazos.

Para conservar la pureza hay tres cosas: la presencia de Dios, la oración y los sacramentos".

5.13 No es fácil consolar a las mujeres a quienes se le muere un hijo pequeño. 'La señora des Garets tuvo la desgracia de perder un hijo a la edad de cinco años. La noticia fue comunicada al Cura de Ars por medio del cuñado de la mujer. Para sorpresa de éste, la respuesta del Santo cura fue la siguiente:

"¡Dichosa madre, dichoso hijo! ¡Qué gracia para ambos! ¿Cómo ha podido merecer este niño que se le abreviase el tiempo de la lucha, y que fuera a gozar tan pronto de la felicidad eterna?".'

6.13 "Quien ha conservado la inocencia del bautismo es como un niño que nunca ha desobedecido a su padre.

Cuando se ha conservado la inocencia, nos sentimos llevados por el amor de Dios, como el águila es portada por sus alas.

Un cristiano que tiene la pureza del alma está en la tierra como un pájaro atado con un hilo. ¡Pobre pajarito! Sólo espera el momento de cortar el hilo y volar".

7.13 Un padre de familia le consultó al Cura la conveniencia de llevar a su hija a un baile (para entender el suceso, es preciso recordar que en aquellos momentos los bailes tenían una mayor carga sensual de la que, por lo general, tienen ahora). El Cura le contestó:

– No, amigo mío.

– Pero si no le dejaré bailar, refutó el padre.

– ¡Oh!, aunque ella no baile, su corazón bailará.

Tenía muy claro el Cura que lo que importa es lo que hace nuestro corazón, que lo que limpia o ensucia el alma es lo que ocurre en la intimidad.

8.13 "Un alma pura es como una bella perla. Mientras está escondida en una concha, en el fondo del mar, nadie piensa admirarla. Pero si la mostráis al sol, brilla y atrae las miradas. Así sucede con el alma pura, que está escondida a los ojos del mundo, pero que un día brillará ante los ángeles, al sol de la eternidad".

9.13 "Los que han perdido la pureza son como una sábana empapada en aceite: lávala, sécala, la mancha vuelve siempre; hace falta un milagro para limpiar el alma impura.

Hemos sido creados para ir un día a reinar en el cielo, y si tenemos la desgracia de cometer este pecado, nos convertimos en la guarida de los demonios. Nuestro Señor dijo que nada impuro entrará en su reino".

10.13 "El Espíritu Santo reposa en las almas justas, como la paloma en su nido. El Espíritu Santo incuba los buenos deseos en un alma pura, como la paloma incuba a sus pequeños.

El Espíritu Santo nos conduce, como una madre conduce a su hijo de dos años de la mano, como una persona conduce a un ciego.

El Espíritu Santo reposa en un alma pura como sobre una cama de rosas.

De un alma donde reside el Espíritu Santo, sale un buen olor: como el de la vid cuando está en flor.

Como una bella paloma blanca, que sale del medio de las aguas y viene a sacudir sus alas en la tierra, el Espíritu Santo sale del océano infinito de las perfecciones divinas y viene a batir las alas sobre las almas puras, para destilar en ellas el bálsamo del amor".

11.13 Cuando observaba en alguna de su parroquia algo de frivolidad o vanidad, procuraba ayudarle con cariño y humor a darse cuenta. Un día que Juana Lardet exhibía vanidosamente un bonito collar, el Cura le preguntó cariñosamente:

– ¿Quieres vendérmelo? Te daré cinco sueldos.

– ¿Y qué hará con él, señor Cura?

– Se lo pondré a mi gato.

12.13 A los padres les insistía en que atendiesen el alma de sus hijos, que es lo que más vale de ellos.

"Esa madre que no tiene en la cabeza otra cosa que su hija..., y que se preocupa mucho más por mirar si lleva bien puesto el sombrero que en preguntarle si ha dado a Dios su corazón. Le dice que no ha de parecer tacaña, que tiene que ser amable con todo el mundo, para llegar a entablar amistades y colocarse bien... Y la hija se esfuerza en seguida en atraer las miradas de todos".

Así forman a las hijas moviéndolas a que vistan de cualquier manera, poniendo más atención en lo externo suyo que en su interior. Y cuando visten indecentemente, son instrumentos

"para perder a las almas. Y sólo en el tribunal de Dios se sabrá el número de crímenes que habrá hecho cometer...".

13.13 El cuerpo tiene que estar al servicio del alma. Por eso, cuando una mujer algo gorda le preguntó qué debía hacer para ganar el cielo, el Cura le contestó con humor:

–Tres cuaresmas.

14.13 "Si entendiésemos bien qué cosa significa ser hijos de Dios, no podríamos hacer el mal... Ser hijos de Dios, ¡oh, qué gran dignidad!

No puede entenderse el poder que un alma pura tiene sobre el Buen Dios. No es ella la que hace la voluntad de Dios, sino Dios el que hace la suya".

Imagen de Nuestra Señora de Ars. Hizo ampliar la capilla dedicada a la Virgen, y colocó allí esta talla de madera dorada. Consagró la parroquia a María. Se aprecia en la foto el corazón que mandó hacer.

14
La mejor de las madres:
María

C uando tenía cuatro años tuvo una pelea con su hermano Gothon, algo menor que él. Juan María estaba triste, lloraba. Su madre, para consolarle, le dio una imagen de madera que tenían sobre la chimenea de la cocina, que representaba a la Santísima Virgen. Siempre la llevó con él. '¡Oh! y cuánto amaba yo aquella imagen, dirá poco antes de morir. No podía separarme de ella ni de día ni de noche, y no hubiera dormido tranquilo si no la hubiese tenido a mi lado en la cama... La Santísima Virgen es mi mayor afecto; la amaba aun antes de conocerla'.

Siempre la amó. 'Si para dar algo a la Santísima Virgen pudiese venderme, me vendería', decía. En todas las casas de Ars había una imagen de color que les había regalado el Cura: en todas ellas había puesto su firma. El 1 de mayo de 1836 consagró la parroquia a María Inmaculada. Poco después mandó hacer un corazón dorado que cuelga todavía de la imagen de la Virgen que preside una capilla lateral. Quiso que en ese

corazón estuvieran encerrados, escritos en una cinta de
seda blanca, todos los fieles de Ars.

"Verdaderamente, decían quienes le escucha-
ron homilías hablando de María, era emocionante el
entusiasmo con que hablaba de su santidad, de su
poder y de su amor".

LO QUE DIJO E HIZO

1.14 "A menudo se compara a la Santa
Virgen con una madre; pero ella es
mejor que la mejor de las madres: pues la mejor
de las madres castiga a veces a su hijo que le da
guerra, y al hacerlo ella cree hacer bien. Pero la
Santa Virgen no hace así; ella es tan buena que
nos trata siempre con amor.

El corazón de esta buena Madre no es
más que amor y misericordia, no desea más que
vernos felices. Sólo hay que inclinarse hacia ella
para ser atendido".

2.14 "La Santa Virgen está entre su Hijo y
nosotros. Aunque seamos pecadores,
ella está llena de ternura y de compasión hacia
nosotros. El niño que más lágrimas ha costado a
su madre es el más querido. ¿No corre una madre
siempre hacia el más débil y expuesto? Un médico en un hospital, ¿no presta más atención a los
más enfermos?"

3.14 "Cuando hablamos de los objetos de la tierra, del comercio, de la política nos cansamos: pero cuando se habla de la Santa Virgen, es siempre nuevo. Todos los santos han tenido una gran devoción a la Santa Virgen; ninguna gracia viene del cielo sin pasar por sus manos".

4.14 "No se entra en una casa sin hablar al portero; pues bien: ¡la Santa Virgen es la portera del cielo! Cuando se quiere ofrecer algo a un gran personaje, se le hace llegar a través de la persona preferida por él, con el fin de que ese regalo le sea más agradable. Así nuestras plegarias, presentadas por la Santa Virgen, tienen otro mérito, porque la Santa Virgen es la única criatura que nunca ha ofendido a Dios.

Cuando nuestras manos han tocado aromas, aromatizan todo lo que tocan, hagamos pasar nuestras plegarias por la Santa Virgen, ella las aromatizará".

5.14 "Pienso que en el fin del mundo la Santa Virgen estará tranquila; pero mientras este mundo dure, Ella está como inquieta, pendiente de todo. La Santa Virgen es como una madre que tiene muchos hijos, y continuamente está ocupada yendo de uno a otro".

6.14 También le gustaba emplear parábolas para hacer ver cómo nos quiere María:

"El corazón de María es tan tierno hacia nosotros, que todas las madres del mundo no son más que un trozo de hielo a su lado".

7.14 "El hombre había sido creado para el cielo. El demonio rompió la escalera que conducía a él. Nuestro Señor, por su pasión, ha construido otra para nosotros. La santísima Virgen está en lo alto de la escalera y la sostiene con sus manos".

8.14 "Un buen cristiano va siempre armado de su rosario. El mío nunca me deja".

A muchos de los hombres que se confesaban, les regalaba un rosario.

9.14 "Dios podría haber creado un mundo más bello que el actual, pero él no podría dar el ser a una criatura más perfecta que María. Ella es la torre construida en medio de la viña del Señor".

10.14 En noviembre de 1854, mientras Roma se disponía a celebrar magníficamente la definición del dogma de la Inmaculada Concepción, el Cura de Ars preparaba su humilde parroquia para tan solemne acontecimiento. Algunos días antes de la proclamación de esta verdad de fe, cuenta la baronesa de Belvey, oí cómo el siervo de Dios predicaba un sermón de circunstancias, en el cual recordaba, con transportes de alegría, todo lo que había hecho por María Inmaculada. Un escalofrío pasó por todo el auditorio cuando al terminar, exclamó:

"¡Si para dar algo a la Santísima Virgen pudiese venderme, me vendería!".

La solemnidad que se acercaba ¿no era para nuestro Santo una ocasión excepcional para testimoniar a Nuestra Señora un afecto de más de sesenta años? Había amado a María desde niño. Una vez sacerdote, había trabajado con todas sus fuerzas para propagar su culto.

11.14 "María, no me dejes ni un instante, estate siempre a mi lado.

Volvamos a ella con confianza, y estaremos seguros de que, por miserables que seamos, ella obtendrá la gracia de nuestra conversión.

María es tan buena que no deja de echar una mirada de compasión al pecador. Siempre está esperando que le invoquemos.

En el corazón de María no hay más que misericordia".

12.14 "Una buena oración es la de pedir a la Santa Virgen que ofrezca al Padre eterno a su hijo ensangrentado, herido, para pedir la conversión de los pecadores. Es la mejor oración que se puede hacer, por que todas las oraciones se hacen en nombre y por los méritos de

Jesucristo... Hijos míos, escuchad bien esto: todas las veces que he obtenido una gracia, la he obtenido de este modo. Nunca me ha fallado".

Retrato del Santo Cura de Ars, pintado por indicación de Toccanier, el sacerdote que le ayudó en la parroquia los últimos años.

Sus últimos días

En 1859, último año de vida del Cura de Ars, asistieron unos cien mil peregrinos para confesarse con él. Sus fuerzas estaban tan consumidas, que su catequesis y su predicación "ya no eran más que una serie de exclamaciones que terminaban con lágrimas". Tosía y tosía, y a penas se le entendía ya nada. Si por el cansancio, se desplomaba sobre una silla, comentaba con humor: '¡la verdad es que es como para reírse!'

"El mes de julio de ese año fue tórrido..., y a cada momento, los peregrinos tenían que salir para cambiar de aire. Pero Mosén Vianney seguía cosechando las almas. El 29 de julio, 'abrasado en fiebre', estaba todavía en su confesionario. Para subir al púlpito bebió algunas gotas de vino en el hueco de la mano... Pero ya no se oía su voz, tan sólo se le veía mirar constantemente al sagrario" (JdF 284). Por la noche, apoyado en el brazo de otro, fue a la casa parroquial. Al pié de la escalera se desvaneció. Ya en la cama, pidió que le dejasen solo. Los penitentes subían a la habitación. Aún confesó a algunos. Luego sólo les bendecía.

El 2 de agosto pidió los últimos sacramentos. '¡Qué bueno es Dios...!, dijo. ¡Cuando ya no se puede ir a verle, viene él!'. Lloraba: 'Es triste comulgar por última vez'.

A las dos de la madrugada del 4 de agosto, moría.

* * *

Los últimos tres años le ayudó en la parroquia el Reverendo Toccanier. Ya en sus últimos días, éste le preguntó: "Si Dios le diese a usted a escoger entre subir al Cielo inmediatamente o seguir trabajando por la conversión de los pecadores, ¿qué elegiría usted?". Le respondió: "Me quedaría... En el Cielo, los Santos son dichosos, pero son unos rentistas... No pueden ganar almas para Dios como nosotros, con sus trabajos y sus sufrimientos" (JdF 282).

Notas bibliográficas

Los textos y anécdotas recogidos se encuentran en muchos libros. Hemos procurado indicar en todos los casos al menos una referencia; para facilitar la búsqueda, siempre que hemos podido hemos remitido a uno de los siguientes libros:

MJ -Marc Joulin, Vida de san Juan María Vianney, San Pablo, Madrid 1991

JdF - Jean de Fabregues, El santo Cura de Ars, Patmos, Madrid 1991

MTR - Monseñor Francis Trochu, Palabra, Madrid 1984

P - Pensèes choisies du Saint Curé d'Ars, Tèqui Éditeur, Paris 1890

F -Petites Fleurs d'Ars, Tèqui Éditeur, Paris 1890

PdO -Proceso del Ordinario

CP -100 pensées du curé d'Ars, Téqui, Paris

LSP - La sua pazienza ci aspetta..., Santuario d'Ars, 1999

Otras fuentes:

- Le Curé d'Ars, Pensées, Desclée De Brouwer, Paris 2000
- Sermones de San Juan María Vianney, Cura de Ars, versión por el Rdo. Dr. Carlos de Bolós, tres tomos, Eugenio Subirana, editor Pontificio, Barcelona 1927
- Texto del Proceso Apostólico in genere

Índice de referencias

9.6	MJ-46	17.7	MTR-545
10.6	P-IV	18.7	MTR-545
11.6	MTR-533	19.7	MJ-127
12.6	MTR-534		
13.6	MJ-46	1.8	P-XIX
14.6	MTR-532	2.8	P-XVII
15.6	MJ-46	3.8	P-XVII
16.6	P-VI	4.8	P-XVII
17.6	P-VI	5.8	P-XVII
18.6	P-XXVI	6.8	P-XVII
19.6	P-XXVI	7.8	P-XVII
20.6	PXXVI	8.8	P-XVIII
21.6	P-XXXI	9.8	P-XVIII
22.6	P-XXXI	10.8	P-XIX
23.6	F-XII	11.8	MTR-264
24.6	MJ-69	12.8	MTR-280
		13.8	P-XIX
1.7	MTR-158-159	14.8	P-XIX
2.7	MTR-221-22	15.8	MTR-156-157
3.7	MTR-333	16.8	PdO 814
4.7	MTR-333	17.8	MTR-378-383
5.7	MJ-109	18.8	P-XX
6.7	P-XXXI	19.8	P-XX
7.7	MJ-109	20.8	PXXXI
8.7	P-XXVII	21.8	F-VIII
9.7	MTR-277	22.8	F-VIII
10.7	MTR-488	23.8	F-VIII
11.7	MTR-534	24.8	F-VIII
12.7	MTR-535	25.8	MJ-132
13.7	MTR-536	26.8	MTR-281
14.7	MTR-537	27.8	PAIG-213
15.7	MTR-543	28.8	MTR-607-608
16.7	MTR-544-5		

30.11	MTR-547-48		26.12	LSP-12
31.11	MTR-550		27.12	LSP-13
32.11	MTR-552-3		1.13	P-X
32.11	CP-7		2.13	P-X
1.12	P-XXX		3.13	MTR-361-2
2.12	JdF-62ss		4.13	P-X
3.12	MTR-325		5.13	MTR-494
4.12	MTR-529		6.13	P-XXIX
5.12	P-XXX		7.13	JdF-125
6.12	P-XXX		8.13	P-XXIX
7.12	P-XXXI		9.13	P-XXIX
8.12	P-XXXI		10.13	F-IV
9.12	MJ-77		11.13	MTR-204-5
10.12	MTR-330-2		12.13	JdF-126
11.12	P-XXX		13.13	MTR-503
12.12	MTR-410		14.13	LSP-16
13.12	MTR-413		1.14	P-XXI
14.12	MTR-525ss		2.14	P-XXI
15.12	MTR-458		3.14	P-XXI
16.12	MTR-518ss		4.14	P-XXI
17.12	MTR-519		5.14	P-XXI
18.12	MTR-521		6.14	MJ-132
19.12	MJ-52		7.14	MJ-132
20.12	MTR-512ss		8.14	MTR-356
21.12	MTR-520		9.14	CP-25
22.12	MTR-521		10.14	MTR-461
23.12	MTR-522		11.14	LSP-19,20
24.12	MTR-525		12.14	LSP-19,20
25.12	LSP-11,12			

Hablar con Jesús

dirigida por **Xame Morell Soler**

La Misa: Antes, durante y despúes
Eucaristía: Velas. Bendición
La Llamada: 12 ideas sueltas. 9 vocaciones contadas
Espíritu Santo. Decenario Pentecostés Confirmación
Corpus Christi
Cuaresma
Mayo
Noviembre. La vida aquí. El cambio. La vida allá
Diciembre. Adviento y Navidad
Convivencias. Guía personal para los ratos de silencio
Orar con Teresa de Lisieux
Camino de Santiago, por Pablo Mª Lacorte
Orar con la Pasión y el Via Crucis
Orar con poetas
Dios Padre, por Manuel Sanlés Olivares
Orar con Teresa de Jesús, por Pedro L. Narváez
Momentos eucarísticos, por J. M. Casasnovas
Orar con el cura de Ars, por J. P. Manglano
Orar con... un pan para cada día, por Agustín Filgueiras Pita
Orar con... los que sufren, por Pedro José Belloso
Orar con el Avemaría, por Vicente Ferrero
Instantes Eucarísticos, por J. M. Casasnovas, s.j.
El Cuarto Mandamiento, por Pedro Latorre
Orar con Teresa de Calcuta por J. P. Manglano y P. de Castro
Orar 15 días con Francisco y Jacinta de Fátima por Jean-François de Louvencourt
Orar con el padre Pío por Laureano J. Benítez y Óscar A. Peña
Evangelio 2005 comentado día a día por J. P. Manglano
Orar con una sonrisa diaria, por Agustín Filgueiras Pita
Encuentros eucarísticos, por J. M. Casasnovas, s.j.
Orar con el Rosario, por Cristina González Alba
Orar con 8 personajes de la Biblia, por Mauro Leonardi
Al caer de la tarde. Reflexiones para el tiempo de Adviento, por Cristina González Alba
Orar en... Cuaresma. "Yo hago nuevas todas las cosas" (Ap 21,5), por Cristina González Alba